Mirabilia Italiæ
GUIDE

La Cappella Palatina a Palermo

The Palatine Chapel in Palermo

Traduzione inglese / *English translation*
Lyn Minty

Coordinamento editoriale / *Coordinating Editor*
Alessandro Vicenzi

Responsabile di produzione / *Head of production*
Massimo Balboni

Disegni e impaginazione / *Drawings and pagination*
Alessandra Marrama

ISBN 978-88-570-0398-6
© 2011 Franco Cosimo Panini Editore Spa
Via P. Giardini 474/D, Direzionale 70 - 41124 Modena - Italy
Tel. 059 2917311
info@fcp.it
http://arte.fcp.it

Mirabilia Italiæ
GUIDE

La Cappella Palatina
a Palermo

*The Palatine Chapel
in Palermo*

a cura di / *edited by*
Alessandro Vicenzi

campagna fotografica diretta da /
photographs directed by
Giovanni Chiaromonte

FRANCO COSIMO PANINI

Pianta di Palermo.

Plan of Palermo.

Introduzione

Introduction

Ruggero II e la cultura arabo-normanna

Se è vero che tutti i monumenti sono, sotto qualche aspetto, unici al mondo, è anche vero che ce ne sono alcuni la cui unicità è ancora più preziosa perché si ergono come testimoni rari, se non unici, di momenti storici irripetibili. La cappella fatta costruire nel XII secolo da Ruggero II d'Altavilla all'interno del Palazzo Reale di Palermo fa parte di questa cerchia ristretta di tesori inestimabili: il suo interno, con gli splendidi mosaici dorati e i soffitti di scuola araba, è infatti un'espressione unica della cultura arabo-normanna, dei suoi valori e delle sue ambizioni.

I Normanni erano arrivati nell'Italia meridionale dalle regioni scandinave all'inizio dell'XI secolo ed erano diventati in breve tempo una forza militare e politica di rilievo, che prima scalzò i bizantini nel controllo dell'Italia meridionale e poi, tra il 1061 e il 1072, sotto la guida di Ruggero I d'Altavilla strappò la Sicilia agli arabi, che l'avevano conquistata nel IX secolo.

Fu poi suo figlio, Ruggero II, a unificare tutti i possedimenti normanni sotto un'unica guida, facendosi incoronare, il 25 dicembre 1130, re del Regno di Sicilia e di un popolo composto da cristiani di rito latino e greco, musulmani ed ebrei, che parlavano arabo, latino, greco ed ebraico.

Con grande pragmatismo, il re e i suoi dignitari, che si erano formati in ambienti cosmopoliti, non cercarono di soffocare questa pluralità ma, al contrario, impostarono la cultura del regno sulla convivenza tra le sue diverse anime. Anche se era il cristianesimo la religione ufficiale, musulmani ed ebrei erano liberi di esercitare la loro fede e la corte, che aveva come modello quelle islamiche del Mediterraneo, quelle dell'Egitto fatima in particolare, accoglieva sapienti e dignitari di ogni fede. Il manto ricamato in filo d'oro indossato da Ruggero durante l'incoronazione era decorato con un'iscrizione in arabo che riportava la data dell'evento calcolata partendo dall'Egira, secondo l'uso islamico,

Roger II and Arab-Norman culture

While there can be no doubt that all monuments are unique in one way or another, some are especially important and valuable for the rarity or singularity of their role as witnesses to key moments in history. The chapel built by Roger II of Altavilla inside the Royal Palace of Palermo in the twelfth century is one of this limited number of inestimable treasures. The splendid mosaics and the ceilings of the Arab school that it contains are a unique expression of Arab-Norman culture and of the values and ambitions of the period.

The Normans arrived in southern Italy from their Scandinavian homelands in the early eleventh century and in short order became a military and political force to be reckoned with. Between 1061 and 1072, they gradually supplanted the Byzantines in the control of southern Italy, then, led by Roger I of Altavilla, seized Sicily from the Arabs, who had controlled it since the ninth century.

Roger II (son of Roger I) later unified the Norman territories under a single power, and on the 25th December 1130 was crowned king of Sicily, an island whose population was made up of Latin and Greek rite Catholics, Muslims and Jews, and who, between them, spoke Arabic, Latin, Greek and Hebrew.

The new king and his court had grown up in a cosmopolitan environment, and rather than try to suffocate this plurality, took the more pragmatic approach of basing the culture of the new kingdom on peaceful cohabitation between all its peoples. Though Christianity was the official religion, Muslims and Jews were left free to practise their own faiths, and the court, modelled on the Islamic courts of the Mediterranean area and on the Fatimite court of Egypt in particular, welcomed scholars and dignitaries from all faiths. The gold embroidered mantle that Roger wore for his coronation was decorated with an Arabic inscription recording the date of the event, calculated from the Hejira in accordance with Islamic custom. One of the most important

e tra le opere più importanti prodotte nella corte palermitana spicca la *Tabula Rogeriana* del geografo arabo Muhammad al-Idrisi, uno dei massimi compendi del sapere geografico dell'epoca, con una mappa di Asia, Europa e Nord Africa di grande dettaglio e precisione. I documenti della cancelleria regale venivano redatti in latino, greco e arabo, come testimonia un'iscrizione trilingue che commemora l'installazione di un'orologio ad acqua nel palazzo regale per volere di Ruggero II.
Nonostante questa stagione culturale abbia avuto vita relativamente breve (già dalla metà del XIII secolo in poi non si registrano più documenti arabi in Sicilia) ha lasciato tracce, in misure diverse, nell'architettura siciliana dell'epoca, in chiese di Palermo come la Martorana, voluta da Giorgio di Antiochia, ammiraglio di Ruggero II e suo ambasciatore nel mondo arabo, e San Giovanni degli Eremiti, oltre che nella cattedrale di Monreale o nel duomo di Cefalù. Nessuna di queste chiese è però paragonabile per l'intreccio di tradizioni artistiche alla Cappella Palatina di Palermo.

La Cappella Palatina

Nel Palazzo Reale, costruito attorno a una precedente fortezza araba, esisteva già una chiesa, che Ruggero non reputò però adeguata alle sue aspirazioni. Le date di inizio e fine dei

works produced in the Palermitan court is the Tabula Rogeriana, *created by Arab geographer Muhammad al-Idrisi. The Tabula is one of the most important sources of contemporary geographic knowledge, and includes detailed and accurate maps of Asia, Europe and North Africa. The documents of the royal chancellery were drafted in Latin, Greek and Arabic, as is shown by the tri-lingual inscription commemorating the installation, at the bidding of Roger II, of a water clock in the royal palace. Though this period of high culture proved relatively short-lived (Sicilian documents were no longer written in Arabic after the middle of the thirteenth century), it nevertheless left its mark on Sicilian architecture, and traces of it can still be seen in various Palermitan churches, including the Martorana church constructed on the orders of George of Antioch, Roger II's admiral and ambassador to the Arab world, the church of San Giovanni degli Eremiti, the cathedral of Monreale and that of Cefalù. None of these churches, however, has anything to compare with the interwoven artistic traditions of Palermo's Palatine Chapel.*

The Palatine Chapel
Palermo's Royal Palace, built on the foundations of an older Arab fortress, already contained a chapel, but Roger II evidently considered this inadequate for his aspirations. The precise dates of the start and completion

L'interno della Cappella Palatina
visto da nord-ovest

Nella pagina precedente:
L'iscrizione in latino, greco
e arabo che commemora
la costruzione di un orologio
ad acqua nel Palazzo Reale
(1142).

*The interior of the Palatine Chapel
seen from the northwest.*

*Previous page: the inscription
in Latin, Greek and Arabic
commemorating the installation of
a water clock in the Royal Palace
(1142).*

lavori per la costruzione della nuova chiesa del palazzo, cioè la Cappella Palatina), sono ignote. È certa la data della sua consacrazione ai santi Pietro e Paolo: il 28 aprile del 1143, come riportato dall'iscrizione sul tamburo della cupola. La chiesa precedente sopravvive al di sotto della Cappella e il confronto tra la sua architettura semplice e il nuovo edificio dà l'idea della radicale differenza tra l'arte del nuovo regno normanno e quella precedente. L'impianto è quello di una basilica a tre navate, però con una cupola che si innalza al di sopra del presbiterio, tratto tipico delle chiese bizantine come le piccole absidi semisferiche che chiudono le navate. Gli archi a sesto acuto sono di scuola islamica, mentre alcune colonne e capitelli sono riusi da monumenti greci e romani. Il pavimento realizzato con intarsi in marmo presenta influenze bizantine e islamiche. L'ambiente è ricoperto da mosaici su sfondo dorato che ricoprono quasi ogni superficie disponibile, dalle pareti agli intradossi degli archi fino alle cupole. Le tessere, grazie alle numerose finestre che si aprono nell'edificio, alcune delle quali oggi parzialmente coperte da altre parti del Palazzo, riflettono nell'interno della Cappella una luce calda e avvolgente. Per quanto i mosaici siano uno degli elementi più caratteristici della decorazione bizantina, il loro utilizzo è inconsueto: nelle chiese bizantine, infatti, la decorazione a mosaico

of work on the Palatine Chapel are not known. The only certain date is that of its consecration to the saints Peter and Paul, on the 28th April 1143; this is recorded in an inscription around the tambour of the dome. Part of the older church remains underneath the chapel, and a comparison between its simple structure and the magnificent building above it gives a clear idea of the radical difference between the art of the new Norman kingdom and that of the previous regime.
The structure of the Palatine Chapel is that of a three nave church, but with a dome rising above the presbytery. This feature is typical of Byzantine churches, as are the small hemispherical apses that delimit the naves. The pointed arches are of the Islamic school, while some of the columns and capitals are inspired by Greek and Roman architecture. The inlaid marble floor shows both Byzantine and Islamic influences. The gold background mosaics that decorate the chapel cover almost every available surface, from the walls to the intradosses of the arches and even the domes. Their tesserae create a warm and enveloping light throughout the chapel thanks to the illumination provided by numerous windows (though today some are partly obscured by other sections of the palace). Mosaics are one of the most characteristic elements of Byzantine decoration, but their use on such a large scale use is atypical: in Byzantine

7

Particolare dei motivi geometrici
del pavimento della Cappella, realizzati
con intarsi di pietre.

*A detail of the geometrical motifs
on the inlaid stone floor.*

è solitamente limitata a spazi ben delimitati
(le absidi, le cupole, le volte e alcune pareti
piane). Qui invece svolgono la stessa funzione
di una decorazione muraria ad affresco, come
quella visibile per esempio nell'abbazia di
Saint-Savine in Francia, tipica della tradizione
occidentale. Realizzati probabilmente in due
fasi da artisti bizantini prima e locali poi, i
mosaici riproducono le storie della Genesi,
la vita di Cristo e quelle degli apostoli Pietro
e Paolo; tondi con busti di santi decorano
gli archi, mentre altri, a figura intera, sono
ritratti in altri punti della Cappella. Troviamo
raffigurazioni naturalistiche di piante, un'altra
rarità per l'arte bizantina.
L'elemento completamente inedito della
Cappella è però quello meno visibile dal
visitatore, cioè il soffitto ligneo della navata
centrale, che si presenta come una struttura
a cassettoni stellati intervallati da stalattiti,
separata dai mosaici da una fascia realizzata
secondo la tecnica del *muqarnas*, anch'essa
dipinta. La struttura del *muqarnas*, fatta di
nicchie sfaccettate, è diffusa nell'architettura
del Mediterraneo islamico e dell'Iran, ma nella
Cappella Palatina si trova l'unico esemplare
noto non realizzato in stucco o legno scolpito,
bensì con sottili pannelli di legno incollati su
una sottostante struttura a incastro. Le pitture
che ricoprono il *muqarnas* e il soffitto, così
come quelle dei più semplici soffitti lignei
delle navate laterali, costituiscono il più ampio
ciclo superstite di pitture islamiche medievali
dell'area mediterranea. Comprendono scene di
corte, creature fantastiche ed elaborati motivi
ornamentali, oltre a iscrizioni rituali arabe.
Ci sono prove che autorizzano a pensare

*churches, mosaic decorations are generally
confined to clearly delimited areas (apses,
domes, vaults, and the occasional wall). Here
in the Palatine Chapel, however, they fulfil a
narrative and decorative function similar to
that of wall frescoes. (A comparison with the
frescoes of the abbey of Saint-Savine in France,
typical of western artistic traditions, is only
natural.) Probably completed in two stages,
first by Byzantine and later by local artists, the
mosaics depict episodes from Genesis, the
life of Christ and the lives of the apostles Peter
and Paul. Medallions containing busts of the
saints decorate the arches, and scenes with
full height figures appear elsewhere. There are
even realistic images of plants, another rarity
for Byzantine art.*
*The most original feature of the Chapel,
however, is also the least visible to the visitor.
This is the wooden roof of the central nave,
formed by star-shaped panels interspersed
by stalactites, and separated from the wall
mosaics by a band of decoratively painted*
muqarnas. Muqarnas *is a common decorative
device in Islamic architecture all around the
Mediterranean and in Iran, but that of the
Palatine Chapel is the only known example
of* muqarnas *made not from stucco or carved
wood but from thin wooden panels glued to
a jointed supporting framework. The images
decorating the* muqarnas *and the ceiling,
like those on the simpler wooden ceilings
of the aisles, represent the most complete
cycle of medieval Islamic paintings from the
Mediterranean area surviving today. They
include court scenes, mythological creatures
and elaborate ornamental motifs, as well as
ritual inscriptions in Arabic.*
*With the exception of the scenes added to
parts of the building by later restorations and
refurbishments, there are good reasons to
believe that the decorative scheme for the
entire chapel is based on a unified twelfth
century design that purposefully included
both Arabic paintings and Byzantine mosaics.
We should, however, avoid the temptation to*

Una delle stalattiti del soffitto in legno
della navata centrale, dipinta con una
composizione floreale simmetrica.

One of the stalactites on the wooden
ceiling over the central nave, painted with a
symmetrical floral design.

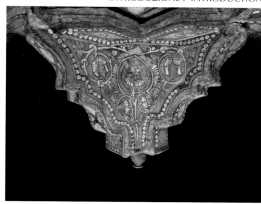

che il programma decorativo dell'intera
Cappella, al netto degli interventi successivi
di restauro o rifacimento di alcune parti, sia
frutto di un progetto unitario del XII secolo
che comprendeva già quindi le pitture arabe
e i mosaici bizantini. Non si deve pensare
però che ciò sia indice di una volontà di
riavvicinamento tra cristianesimo e islam o
immaginare Ruggero mosso da intenti che
oggi definiremmo "politically correct". Più
semplicemente e pragmaticamente, l'obiettivo
del sovrano normanno era quello di creare
un'arte inedita e sorprendente, funzionale
all'utilizzo che veniva fatto del palazzo e
della Cappella. Come testimonia infatti la
presenza di una pedana per il trono sulla
parete ovest, la Cappella Palatina doveva
anche servire al re o alla sua famiglia come
ambiente di ricevimento, ipotesi rafforzata
anche dal ritrovamento di lapidi con iscrizioni
arabe che riportano l'invito a compiere riti di
saluto, modellati su quelli del pellegrinaggio
islamico alla Mecca, nei confronti del sovrano.
Non solo: i cicli di mosaici che raccontano le
storie di Cristo e dei santi Pietro e Paolo non si
concludono, come è tradizione, con le scene
della loro morte, ma al contrario con immagini
di trionfo che simboleggiano le vittorie terrene
del re cristiano. Un luogo di rappresentanza,
quindi, in cui il re rendeva esplicito ai visitatori
il suo potere e la collocazione del suo regno,
geograficamente e culturalmente a cavallo tra
Oriente e Occidente, Islam e Cristianesimo:
mondi diversi, dei quali egli padroneggiava la
lingua, l'arte, le usanze.
Nel cantiere della Cappella furono impiegati
artisti e artigiani di provenienze diverse: greci
per i mosaici, scultori provenzali e campani, a
cui si deve il candelabro per il cero pasquale
e, come suggeriscono gli studi più recenti,
carpentieri e pittori provenienti dal Cairo che
assemblarono e dipinsero il soffitto. Il contatto
di questi artisti con la corte palermitana
permise loro di assorbire nuovi stimoli e di
esprimersi anche al di fuori delle convenzioni
delle tradizioni artistiche in cui si erano

deduce from this any desire in Roger II to unify
Christianity and Islam, or to make what we
would today define as a "politically correct"
statement. More simply and pragmatically,
the Norman king's objective was to create an
original and impressive work of art suited to
the functions of the palace and of the chapel in
particular. As the platform for the king's throne
at the west wall demonstrates, the Palatine
Chapel was destined to be used by the king
and his family as a place of official reception.
This is confirmed by the discovery of stone
plaques bearing inscriptions in Arabic, inviting
visitors to greet the sovereign using rituals
modelled on those practised during Islamic
pilgrimages to Mecca. There is other evidence
in support of the chapel's official function
too: the mosaic cycles depicting the life of
Christ and the lives of the saints Peter and Paul
do not conclude with scenes of their deaths
in the traditional way, but with triumphal
images, clearly symbolising the earthly
victories of the Christian king. The Palatine
Chapel was therefore conceived as a place of
representation in which the king manifested to
visitors his military power and the geographic
and cultural collocation of his realm between
East and West, Islam and Christianity; two
worlds of whose languages, art forms and
cultures he was the undisputed master.
Artists and craftsmen from various cultures
were employed in the construction of the
chapel: Greeks for the mosaics, artists from
Provence and Campania for the sculptures
and paschal candle holder and, according to
recent studies, carpenters and painters from
Cairo to construct and decorate the ceiling.
Contact with the Palermitan court allowed
and encouraged these artists to absorb new
stimuli and to express themselves in ways
outside the conventions of their respective

9

La volta della Sala di Re Ruggero nel Palazzo Reale.

The vault of the Hall of King Roger in the Royal Palace.

formati: il risultato è appunto un monumento unico e irripetibile, la cui bellezza stregò lo scrittore francese Guy de Maupassant, che la definì "la chiesa più bella del mondo", e Oscar Wilde, secondo il quale immersi nell'oro che va dai pavimenti alla cupola non ci si può che sentire "come seduti nel cuore di un grande alveare a osservare gli angeli che cantano".

Interventi e restauri

Con l'avvento della dinastia degli Hohenstaufen, nel corso del XIII secolo il Palazzo dei Normanni perde gradualmente il suo carattere di reggia per diventare sede amministrativa e militare, fino a che nella seconda metà del XVI secolo, con la dominazione spagnola, non torna ad avere funzioni di residenza e rappresentanza. Ovviamente, l'aspetto del Palazzo muta nel corso dei secoli e sopravvivono oggi solo poche parti di epoca normanna, tra cui la cosiddetta "sala di Ruggero", decorata da preziosi mosaici, la Torre Pisana e la Torre Gioaria.

La Cappella Palatina rimase per lo più inalterata nella forma a eccezione della chiusura di alcune finestre, mentre si sono registrati nel corso dei secoli interventi nella decorazione pittorica dei soffitti e nei mosaici. L'iscrizione latina che si trova alla base del *muqarnas*, per esempio, ricorda i restauri voluti da Ferdinando II d'Aragona e ha probabilmente preso il posto di un'originaria iscrizione araba. Allo stesso periodo risalgono i rifacimenti di pannelli del *muqarnas* danneggiati da infiltrazioni d'acqua dal tetto, con cui si introducono nel programma figurativo del soffitto immagini strettamente cristiane. Nel XIX secolo i mosaici hanno invece subito restauri e, in alcuni casi, veri e propri rifacimenti. Gli interventi di restauro più recenti sono quelli che si sono svolti tra il 1948 e il 1953 e tra il 2005 e il 2008.

artistic traditions. The result is a monument of totally unique character. French author Guy de Maupassant was particularly struck by the splendour of Palermo's Palatine Chapel and defined it as "the most beautiful church in the world". Oscar Wilde also wrote of the "Capella Palatine, which from pavement to domed ceiling is all gold: one really feels as if one was sitting in the heart of a great honey-comb looking at angels singing".

Later works and restorations

With the arrival of the Hohenstaufen dynasty in the thirteenth century, the Norman palace gradually lost its standing as a royal seat and became instead an administrative centre and military garrison. By the second half of the sixteenth century and Spanish domination, the palace had completely lost its residential and representational functions. The physical structure of the palace also changed over the centuries, as is only to be expected. Few parts dating from the Norman era remain today; these include the so-called "Hall of King Roger" with its precious mosaics, the Pisana tower and the Gioaria tower.

Luckily, the Palatine Chapel has remained largely unaltered in form, with the exception of the filling in of a number of windows. Over the centuries, additions and modifications have also been made to the original ceiling paintings and mosaics. The Latin inscription at the base of the muqarnas, for example, is an example of the work completed under Ferdinand II of Aragon, and has probably replaced an original Arabic inscription. The refurbishment of the muqarnas panels damaged by water infiltration from the roof dates from the same period, and introduces strictly Christian images into the figurative scheme of the ceiling. The mosaics on the other hand, were restored and in certain cases completely re-laid in the nineteenth century. The most recent cycles of restoration work date from the years between 1948 and 1953 and between 2005 and 2008.

Spaccato prospettico
della Cappella Palatina
(Andrea Rui).

*Perspective section
of the Palatine Chapel
(Andrea Rui).*

Il Palazzo Reale
The Royal Palace

L'area su cui sorge il Palazzo Reale (**1**) è stata ritenuta strategica per la sua posizione fin dall'antichità, come testimoniano i resti di una fortificazione fenicia e la fortezza che vi eressero gli arabi per proteggere la città dagli attacchi provenienti da occidente. La strada che va verso il mare lungo l'asse est-ovest, l'attuale corso Vittorio Emanuele II, ha mantenuto fino all'Unità d'Italia il nome di Cassaro, dall'arabo "qasr", castello. Ruggero II edificò il suo palazzo all'interno delle mura arabe per porre la corte al sicuro da eventuali insurrezioni. Dopo la morte di Ruggero, i suoi successori Guglielmo I e Guglielmo II proseguirono l'opera di rinnovamento del palazzo, aggiungendo torri (Pisana, Gioaria, Chirimbi e Greca; sopravvivono nella forma originaria solo le prime due) nei cui ambienti si svolgevano le attività della corte. Nei secoli XIII-XV, il Palazzo tornò ad avere una funzione quasi solo militare, fino a che all'inizio del XVI secolo la Sicilia non divenne possedimento spagnolo. I vicerè che governavano l'isola per conto della Corona lo elessero a propria sede e portarono grandi cambiamenti nell'edificio: tra il 1569 e il 1571 una struttura con loggiato che si affaccia sul nuovo Cortile della Fontana e nel 1600 la costruzione di una nuova facciata che nasconde quella normanna. L'aspetto odierno del Palazzo è quindi radicalmente diverso da quello medievale.

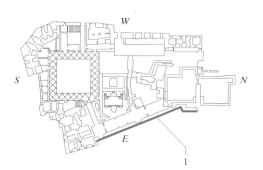

1.

The location of the Royal Palace (**1**) was seen as strategic even in ancient times, as is witnessed by the remains of a Phoenician stronghold and by the Arab fortress constructed there to protect the city against attack from the west. Corso Vittorio Emanuele II, the road that runs east-west down to the sea front, was called by the name "Cassaro", derived from the Arabic word for fortress "qasr", until the unification of Italy. Roger II constructed his palace inside the walls of the older Arab fortifications to protect his court against possible insurrections. After Roger's death, his successors

14

William I and William II continued developing the palace, adding the Pisana, Gioaria, Chirimbi and Greca towers (of which only the first two survive in their original form) to house court activities. From the thirteenth and fourteenth centuries until Sicily became a dominion of Spain in the 16th century, the palace gradually adopted an almost exclusively military function. Then, however, the viceroy, sent to govern the island on behalf of the Spanish crown, chose the palace as his official seat and made a number of major structural changes. These included the construction of the section comprising the loggia overlooking the Fountain Courtyard between 1569 and 1571 and, the creation of a new façade in 1600, covering the original Norman one. The Royal Palace today therefore looks radically different from the way it did in the medieval period.

2.

3.

Alla Cappella si accede dal primo piano del Cortile Maqueda (**2**), che deve il suo nome al viceré Bernardino di Cardines, duca di Maqueda, che ne ordinò la realizzazione tra il 1598 e il 1601. Il colonnato esterno (**3**, **6**) alla Cappella era un tempo rivestito da mosaici con scene di caccia, di cui restano tracce solo nel secondo arco da destra; gli attuali mosaici, tra cui i busti di santi (**4**, **5**), risalgono all'inizio del XIX secolo.

*Access to the chapel is from the ground level of the Maqueda courtyard (**2**), named after the viceroy Bernardino de Cárdines, duke of Maqueda, who ordered its construction between 1598 and 1601. The colonnade (**3**, **6**) outside the chapel was once covered with mosaics depicting hunting scenes, traces of which remain on the second arch from the right. The other mosaics, including busts of the saints (**4**, **5**), date from the nineteenth century.*

4.

5.

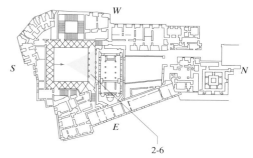

2-6

6.

7.

8.

La porta in legno di accesso alla navata sud della Cappella, decorata con *Storie di San Pietro*, si trova sotto a un mosaico (**7**) realizzato da Pietro Casamassima su disegno di Valerio Villareale che raffigura il *Genio di Palermo* (1848) che regge i ritratti di Ferdinando III, re di Sicilia dal 1759 al 1816, e della moglie Maria Carolina. Il mosaico, la replica di una statua in marmo del 1778, fu distrutto durante i moti del 1848 e poi rifatto. Sulla parete esterna della Cappella si trovano mosaici (opera di Casamassima su cartoni di Villareale e Santi Cardini) che illustrano gli episodi biblici della ribellione di Assalonne al padre David. In questa scena (**8**) si vede il re addolorato per avere ricevuto la notizia della morte in battaglia del figlio ribelle.

*The wooden door that provides access to the chapel's south aisle is decorated with scenes from the life of St Peter. The door stands under a mosaic (**7**) by Pietro Casamassima to a design by Valerio Villareale (1848), showing the Genius of Palermo holding a portrait of Ferdinand III, king of Sicily between 1759 and 1816, and his wife Maria Carolina. This mosaic, based on a marble statue of 1778, was destroyed during the revolts of 1848 and later restored.*
*The outside wall of the chapel is decorated with mosaics by Casamassima (based on designs by Villareale and Santi Cardini) illustrating the biblical episode of Absalom's rebellion against his father David. The scene shown here (**8**) depicts David grief stricken by the news of his rebellious son's death in battle.*

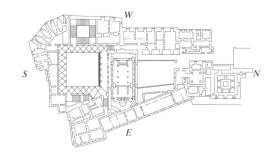

9.

10.

Assalonne, dai capelli eccezionalmente lunghi e folti, durante la battaglia contro l'esercito di David resta impigliato ai rami di una quercia (**9**). Sospeso "tra il cielo e la terra" viene raggiunto da Ioab, capo delle guardie del padre, che gli scaglia addosso tre lance, per poi farlo finire dai suoi scudieri. L'autore di questo riquadro è Santi Cardini (1737-1825), a cui si devono anche numerosi rifacimenti dei mosaici all'interno della Cappella. In un'altra scena, collegata a quelle ai suoi lati che mostrano la vittoria di David sul figlio ribelle, il re è raffigurato nell'atto di perdonare un uomo che si inginocchia ai suoi piedi (**10**). Si tratta di Semei, che dopo aver riconosciuto Assalonne come re aveva deriso e inseguito David in fuga da Gerusalemme.

*During the battle against David's army, Absalom's exceptionally thick and long hair becomes entangled in the branches of an oak (**9**). He is found hanging "between heaven and earth" by Joab, commander of his father's forces. Joab hurls three lances at him before leaving him to be killed by his armour bearers. The representation is the work of Santi Cardini (1737-1825), who is also responsible for many of the renovated mosaics inside the chapel. Another related scene illustrates the victory of David over his rebellious son, and shows the king pardoning a man who kneels at his feet (**10**). The man is Shimei, who had recognised Absalom as king and cursed and stoned David as he fled from Jerusalem.*

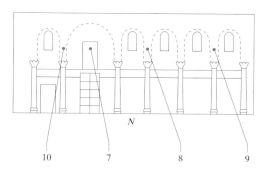

N

10   7   8   9

19

11.

12.

Sul lato ovest del loggiato esterno della Cappella, risalente agli anni trenta del XIX secolo, si trovano un mosaico (**11**) e un bassorilevo con iscrizione. Il mosaico, opera di Antonino Grimaldi su disegno di Vincenzo Riolo, raffigura Ruggero II mentre consegna a Simone, ciantro (cioè "cantore"), il diploma di istituzione della Cappella. La figura del sovrano sembra essere modellata su quella di alcuni personaggi con corona dipinti nella decorazione del soffitto. Sulla parete opposta si trova invece una veduta di Palermo, accompagnata da un'aquila araldica con le insegne borboniche, opera di Casamassima e Riolo (**12**). L'iscrizione latina nel cartiglio ricorda i restauri iniziati da Carlo di Borbone nel 1753 e proseguiti da Ferdinando III, mentre quella nel riquadro si riferisce a un altro Ferdinando, re di Spagna, durante il cui regno, nel 1506, il cantore Giovanni Sanchez fece realizzare mosaici per ricoprire la parete.

*The west side of the loggia outside the chapel is decorated with a mosaic completed in the 1830s (**11**) and a bas relief with inscription. The mosaic is the work of Antonino Grimaldi to a design by Vincenzo Riolo, and shows Roger II conferring on Simon the diploma of cantor to the chapel. The appearance of the king seems to have been based on that of various figures with crowns on the painted ceiling.*
*The opposite wall features a view of Palermo, complete with heraldic eagle and the insignia of the Bourbons, the work of Casamassima and Riolo (**12**). The Latin inscription on the scroll commemorates the restoration begun by Charles of Bourbon in 1753 and continued by Ferdinand III, while that in the rectangle refers to another king Ferdinand of Spain, during whose reign, in 1506, the cantor Giovanni Sanchez had mosaics laid to cover the wall.*

13.

14.

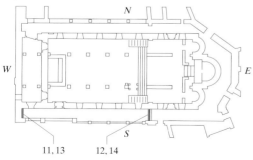

I bassorilievi che commemorano il battesimo di Ferdinando Francesco (1800), figlio di Ferdinando III (**13**), e le nozze tra Maria Cristina di Borbone e Carlo Felice di Savoia (**14**), celebrate nel 1807, sono opera di Alberto Quattrocchi, figlio dello scultore in legno Filippo Quattrocchi, che realizzò il primo appena quindicenne. Quattrocchi studiò anche a Roma presso Antonio Canova, ma fu costretto a tornare in Sicilia dall'invasione francese del 1809. Morì di febbre a Palermo a soli 27 anni.

The bas reliefs commemorating the baptism in 1800 of Ferdinand Francis, son of Ferdinand III (13), and the marriage in 1807 of Maria Cristina of Bourbon to Charles Felix of Savoy (14) are the work of Alberto Quattrocchi, son of wood sculptor Filippo Quattrocchi. The first was completed when the artist was just fifteen years of age. Quattrocchi studied with Antonio Canova in Rome, but was forced to return to Sicily by the French invasion of 1809. He died of a fever in Palermo at the age of 27.

21

La navata centrale
The nave

La navata centrale della Cappella Palatina (**12**) è
dominata sulla parete di fondo dalla piattaforma
del trono (cfr. **26**), la cui presenza lascia supporre
che in epoca normanna la Cappella venisse
usata non solo come luogo di culto ma anche
come sala di rappresentanza dove il re riceveva
i visitatori; un'ipotesi che sarebbe rinforzata
anche dal ritrovamento di frammenti di iscrizioni
in arabo che descrivevano rituali da compiere
nell'avvicinarsi al trono.
Due file di sei colonne che sorreggono archi
la separano dalle navate laterali; le pareti
sovrastanti, decorate con mosaici, riproducono
su due livelli le storie della Genesi (la *Creazione*,
il *Peccato Originale*, il *Diluvio* e le *Storie di
Abramo, Isacco e Giacobbe*). Questo ciclo, che
pur si rifà a modelli più antichi, ha a sua volta
ispirato decorazioni analoghe, come quella del
duomo di Monreale. Tra gli archi si trovano,
raffigurati a figura intera, *Santi* (**13**), presenti
anche come busti nei tondi che intervallano
le scene delle fasce inferiori e all'interno delle
volte.

12.

13.

The back wall of the Palatine Chapel's central
nave (**12**) is dominated by the platform on which
the royal throne stood (see **26**). The presence of
this platform induces us to assume that the chapel
was used in Norman times not only as a place
of worship but also as a hall in which important
visitors could be received. This hypothesis is
supported by the discovery of fragments of
Arabic inscriptions describing the ritual greetings
required on approaching the throne.
Two lines of six columns topped by arches
separate the central nave from the aisles. The

walls above the nave are decorated by two levels of mosaics depicting the stories of Genesis (*The Creation, The Original Sin, The Flood,* and *The Lives of Abraham, Isaac and Jacob*). The narrative cycle is based on older works, and has in turn inspired other decorations, including those in Monreale cathedral. The faces of the arches are decorated with full height figures of saints (**13**) who also appear as busts in the medallions that divide the scenes of the lower bands, and in the vaults.

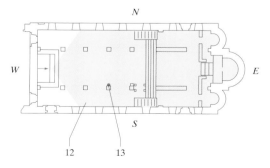

14a.

14b.

14c.

Il ciclo delle storie della Genesi, del XII secolo, è opera di mosaicisti locali. La rappresentazione di scene tratte dal primo libro della Bibbia è frequente nelle navate centrali delle basiliche di culto latino, ma è solitamente realizzata ad affresco e non, come qui, a mosaico, tecnica che appartiene al mondo bizantino, dove però era utilizzata per la decorazione di cupole e volte o di pareti nell'abside, non nelle navate. Dio è raffigurato con lo stesso aspetto che ha Cristo in altre parti della Cappella, e le scene presentano particolari realistici che ravvivano la narrazione. Le scene che si trovano sulla fascia superiore del lato sud sono, dall'abside alla parete di fondo: *La creazione del cielo, della terra e della luce, La creazione del firmamento e la separazione delle acque, La separazione della terra dal mare e la creazione delle piante, La creazione del Sole, della Luna e delle stelle* (**14a**), *La creazione degli uccelli e dei pesci, La creazione degli animali terrestri e di Adamo, Il riposo di Dio* (**14b**), *L'albero del Bene e del Male* e *La creazione di Eva* (**14c**).

The Genesis cycle dates from the twelfth century and is the work of local mosaic craftsmen. Representations of scenes from the first book of the Bible are common in the central naves of Latin rite churches, but they are normally found as frescoes and not, as here, in the form of mosaic. Mosaic is a technique typical of the Byzantine world, and was used mainly to embellish domes, vaults and apse walls – not naves. God is depicted with an appearance similar to that of Christ elsewhere in the chapel, and appears among realistic details that bring the narrative to life. The scenes of the upper band on the south side are, from apse to back wall: The creation of heaven, Earth and light; The creation of the sky and the parting of the waters; The separation of the land from the sea and the creation of plants; *and* The creation of the sun, moon and stars *(14a);* The creation of the birds and fishes; The creation of the beasts of the earth and of Adam; *and* God's rest on the seventh day *(14b);* The tree of knowledge of good and evil; *and* The creation of Eve *(14c).*

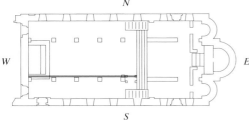

N

W   E

S

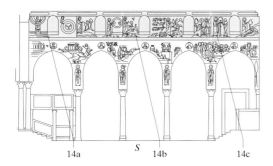

14a   S   14b   14c

15a.

15b.

15c.

Le storie della Genesi proseguono, dalla parete di fondo verso l'altare, sulla parete opposta. Anche questa è una peculiarità della Palatina, perché il modello tradizionale prevedeva che alle scene dell'Antico Testamento venissero contrapposte quelle del Vangelo. Proseguendo le vicende di Adamo ed Eva (**15a**), la sequenza comprende: *Il peccato originale, Dio rimprovera Adamo ed Eva, La cacciata dal Paradiso Terrestre, Il lavoro di Adamo ed Eva, Il sacrificio di Caino e Abele, Caino uccide Abele e Dio interroga Caino, Lamech a colloquio con le mogli, Enoch rapito in cielo* (**15b**), *Noè con la famiglia, La costruzione dell'arca* (**15c**). Come già sull'altra parete, ogni scena è accompagnata da un'iscrizione in latino che contiene brevi passi del testo sacro a cui le immagini fanno riferimento.

*The stories of Genesis continue along the back wall towards the altar and along the opposite wall too. This is yet another peculiar feature of the Palatine Chapel, since traditional church decoration requires scenes from the Old Testament to face others from the New Testament. The narrative cycle continues with the story of Adam and Eve (**15a**), with scenes depicting:* The Original Sin; God condemning Adam and Eve; The banishment from Paradise; The work of Adam and Eve; The sacrifice of Cain and Abel; Cain killing Abel and his interrogation by God; Lamech in conversation with his wives; *and* Enoch taken up to heaven (***15b***); Noah and his family; *and* The construction of the ark (***15c***). *As on the first wall, each scene is accompanied by a Latin inscription quoting the relevant passage from the Holy Scriptures.*

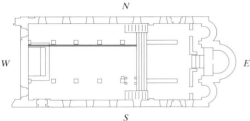

N

W   E

S

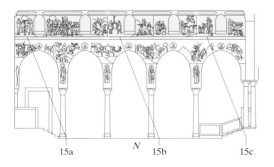

15a   N   15b   15c

16a.

16b.

La narrazione riprende sul lato sud, negli spazi tra gli archi, mantenendo lo stesso senso di lettura della fascia superiore. In alcuni casi, i mosaicisti hanno sfruttato i profili degli archi come parte della scena, con i personaggi che vi si appoggiano. Le scene sono intervallate, in corrispondenza della sommità degli archi, da tondi con busti di santi. La sequenza è la seguente: *La fine del Diluvio, L'uscita dall'arca, L'ebbrezza di Noè* (**16a**), *La torre di Babele, Gli angeli si presentano ad Abramo* e *Lot allontana i Sodomiti* (**16b**).

The narration continues on the south wall in the spaces between the arches, following the same direction as the upper band sequence. In some cases the mosaic artists have used the profiles of the arches to provide part of the scene, showing, for example, characters leaning on them. The scenes are interspersed by medallions containing busts of saints at the tops of the arches. The narrative assumes the following sequence: The receding of the flood; Leaving the ark; and Noah's drunkenness *(16a);* The tower of Babel; The angels appearing to Abraham; *and* Lot fleeing from Sodom *(16b).*

CHAMSEM
IA
FET.

HIC OSTENDIT CHAM
VEREDAPATRIS EBRII FRATRI
NOE   BVS.

SA   TVR   NV   S   E

ABRAHAM TRES ANGELOS HOSPITIO
RECEPIT

RAVIT   A B R A H A M   S MIR CEILL ANVS

SA   ABR

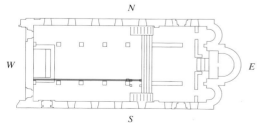

N

W   E

S

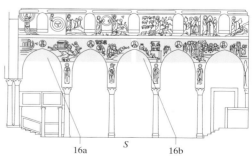

16a   S   16b

SODOMA SVBVERTITVR · GER · VA · SI² · DS · TOLLEFILIV TV·VQVMDILIGIS YSAACETOFFERESILLV MI INHOLOCAVSTVM · ABRA hAM · ABRAhAM ABRAhAMNE TVAM

17a.

ENEDIXIT ISA AC IACOB FILIVM SVVM · SA AC · RE BEC CA · IACOB · ESAV · SA LEX ANDRI · M AR TIR · VIDIT IACOB SCA EIVS CÆLOS

17b.

L'ultima parte delle storie della Genesi è, come quella sulla parete opposta, intervallata dai tondi con i busti dei santi. In sequenza dalla parete di fondo verso l'altare, si vedono: *La distruzione di Sodoma*, *Il sacrificio di Isacco*, *Rebecca al pozzo* e *Rebecca parte per Caanan* (**17a**), *Isacco benedice Giacobbe*, *Il sogno di Giacobbe*, e *La lotta di Giacobbe con l'angelo* (**17b**).

The last episodes from Genesis are separated by medallions containing busts of the saints just as on the opposite wall. Proceeding from the back wall to the altar, we have: The destruction of Sodom; The sacrifice of Isaac; Rebecca at the well *and* Rebecca leaving for Canaan *(**17a**);* Isaac blessing Jacob; Jacob's dream; *and* Jacob wrestling with the angel *(**17b**).*

MANVM
RVM·

S PRO TA SI VS

EXPECTAT SERVVS ABRAHE ADFONTE VENIT REBECCA ETDAT POTV ILLI &
CAMELIS EIVS

S GENE SI

SVMMITAS
BAT

TVLIT LAPIDE ET ERE=
XIT IN TITVLV FVNDENS
OLEV DE SVP

IACOB

BET.

S. I GNA TIVS EP& MAR TIR

IACOBLVCTATVR CVANGELO VTBENEDICAT ANGE&YBENEDICITE IVR
ISRAHEL VOCABERIS·

ISRAHEL

PHANVEL

S. S.

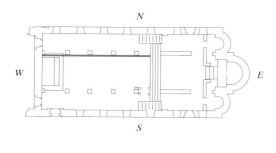

N

W   E

S

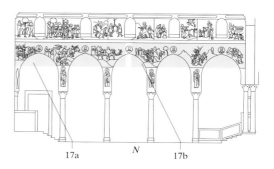

17a   N   17b

31

PRODVCAT AQVE REPTILE AÏME VIVETIS ET VOLATILES VPTERRA DS

18.

Nella scena della creazione degli uccelli e dei pesci (**18**) sono raffigurati, insieme a Dio, volatili di diverse specie: si riconoscono tra gli altri a sinistra un pavone in volo e a destra una cicogna, mentre l'uccello verde in basso ricorda un pappagallo. Una simile attenzione al realismo si applica anche alle creature marine visibili in trasparenza tra le onde del mare, tra cui si vedono anche una seppia e un polpo. L'iscrizione latina riporta il passo biblico corrispondente. Il settimo giorno, dopo avere creato la Terra e averla popolata di piante e animali, Dio (identificato come nelle altre scene dall'abbreviazione "DS" – il trattino al di sopra delle lettere sottintende "eu") riposa (**19**). Il mosaico lo rappresenta seduto su un trono decorato, i piedi appoggiati su un cuscini, in una posa che ricorda quella del *Cristo Pantocratore* (cfr. **26**) nella sua formulazione a figura intera. Lo sguardo rivolto verso sinistra dà l'impressione che il creatore stia riguardando l'opera compiuta fino a quel momento, così come la si vede sulla parete della navata.

*The scene of the creation of the birds and fishes (**18**) depicts God along with a number of recognisable species. We can identify a flying peacock on the left and a stork on the right; the green bird at the bottom may well be a parrot. The creatures of the water are similarly realistic. A squid and an octopus are both clearly identifiable among the transparent waves. The Latin inscription again quotes the corresponding passage from the Bible.*
*On the seventh day, having created the Earth and populated it with plants and animals, God (identified here as in the other scenes by the abbreviation "DS" with a superscript dash representing the letters "eu") takes his rest (**19**). The mosaic shows him seated on a decorated throne, with his feet resting on cushions, in a pose reminiscent of that of the large scale portrayal of Christ Pantocrator (see **26**). The left-facing eyes give the impression that the Creator is looking upon the work he has just competed, narrated along the wall of the nave.*

REQVIEVIT DS DIE SEPTIMO AB OMNI OPE SVO QVOD PATRARAT

DS

19.

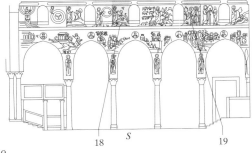

18   S   19

Il personaggio più sorprendente della scena della cacciata dal Paradiso Terrestre di Adamo ed Eva (**20**) è il cherubino infuocato che regge una spada, con le ali punteggiate da occhi, posto a difesa della porta di accesso all'Eden alle sue spalle. Adamo ed Eva, sospinti da un angelo, hanno per la prima volta degli abiti, le tuniche di pelle che Dio ha dato loro per coprirsi dopo che, mangiato il frutto proibito, hanno scoperto la vergogna per la nudità.

Caino e Abele, figli di Adamo ed Eva, offrono su un altare i frutti del lavoro in sacrificio a Dio (**21**). La preferenza divina per l'agnello offerto da Abele rispetto alle spighe di grano in mano a suo fratello è indicata dal raggio rosso che si diparte da un tondo celeste e raggiunge il capo dell'animale. In diverse occasioni i mosaicisti della Palatina hanno utilizzato questo espediente grafico per indicare un intervento divino.

*The most surprising figure in the scene of Adam and Eve's banishment from the Garden of Eden (**20**) is the fiery cherub with a sword and wings dotted with eyes, guarding the door to Eden. Adam and Eve, pushed forwards by another angel, are shown clothed for the first time in the skin tunics given them by God to hide their bodies after they ate the forbidden fruit and learned the shame of nakedness.*

*Cain and Abel, the sons of Adam and Eve, are shown at the altar offering the fruits of their labours in sacrifice to God (**21**). The divine preference for the lamb offered by Abel over the ears of corn offered by his brother is represented by a red ray shining down from a celestial orb on to the head of the animal. The mosaicists of the Palatine Chapel used this graphic device to indicate a form of divine intervention on various occasions.*

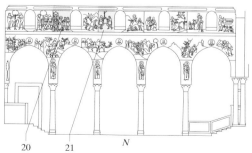

20   21   N

20.

21.

HICE6RIDITVRNOEDEARCHA
TCVNTTANVOANIMATA

DS

22.

TCVNTTA

23.

Le rocce del monte Ararat su cui, dopo il Diluvio, si ferma l'arca di Noè seguono il contorno degli archi (**22**). Sulla sinistra un corvo becca il cadavere di un uomo (**23**), mentre a valle pascolano i primi animali scesi dall'arca. A destra, sotto all'arcobaleno, Dio sancisce la sua nuova alleanza con l'umanità.

*The rocks of Mount Ararat after the flood, with Noah's ark resting on them, follow the contour of the arches (**22**). To the left, a raven is shown pecking at the corpse of a man (**23**), while the first animals to have left the ark are shown already grazing in the valley below. To the right, under the rainbow, God confirms his new promise to mankind.*

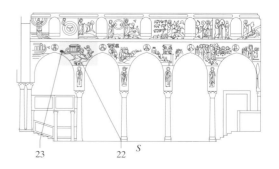

23   22   S

24.

La storia di Sodoma e Gomorra inizia nell'ultima
scena della fascia superiore del lato nord e
si conclude qui, sulla parete opposta, con la
distruzione di Sodoma (24). Lot e la sua famiglia
sono gli unici a cui Dio concede di salvarsi ma la
moglie, che non rispetta l'ordine di non voltarsi,
è trasformata in una statua di sale (25).

*The story of Sodom and Gomorra commences in
the last scene of the upper band of the north wall
and ends here, on the opposite wall, with the
destruction of Sodom (24). Lot and his family are
the only ones permitted by God to escape, but
Lot's wife fails to obey the order not to look back,
and is transformed into a pillar of salt (25).*

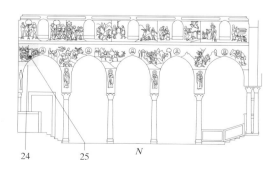

25.

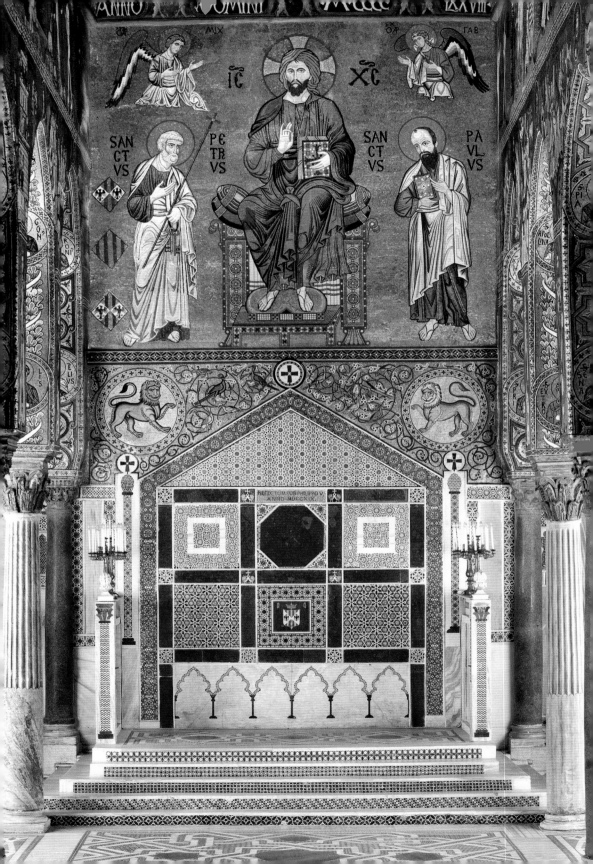

L'esatta datazione della decorazione della parete ovest della navata centrale della Cappella, dove si trova la piattaforma del trono (**26**), è incerta. Al di sopra della pedana e della spalliera in marmo si trova una fascia a mosaico con un'intricata decorazione vegetale abitata da uccelli e due leoni all'interno di medaglioni. Questa è sovrastata dal *Cristo Pantocratore* ("Signore di tutte le cose") affiancato da san Pietro e san Paolo (**27**), sopra ai quali si trovano gli arcangeli Michele e Gabriele. Al centro della parete si apriva forse una finestra, come nelle tre absidi, poi chiusa e sostituita con il mosaico di Cristo attorno al 1180. Le analisi stilistiche e i documenti indicano comunque con certezza che l'intero mosaico come lo vediamo oggi è un rifacimento posteriore. Il significato di questa composizione e della sua posizione è tuttavia chiaro: Cristo e i fondatori della chiesa romana sovrastano e legittimano i re normanni e i loro animali araldici (i leoni), dando un valore sacrale alla regalità terrena. Questo confermerebbe anche la datazione, perché i rapporti tra il regno di Sicilia e il papato migliorarono solo dopo la morte di Ruggero, quando il potere passò ai suoi successori, alla fine del XII secolo.

The exact date of the decorations above the throne platform on the west wall of the chapel's central nave (**26**) is unknown. Directly above the wall at the back of the marble platform lies a mosaic band with an intricate motif of leaves, inhabited by birds and with two lions inside medallions. Above this appears Christ Pantocrator ("the All-Powerful Christ") enthroned, with the saints Peter and Paul to either side, and with the archangels Michael and Gabriel looking down from above (**27**). It is possible that a window was once located in the centre of this wall, as in the three apses, but if so, it was filled in and the space decorated with the Christ mosaic around 1180. Stylistic analyses and extant documents both indicate with certainty that the entire mosaic as we see it today dates from a later refurbishment. The significance of the composition and of its position is perfectly clear: Christ and the founders of the Roman church support and legitimise the Norman kings and their heraldic animals (the lions), thus conferring divine power on the earthly kingdom. This interpretation would also confirm the above dating, since the relationship between the kingdom of Sicily and the papacy improved after the death of Roger, with the transfer of power to his successors towards the end of the twelfth century.

27.

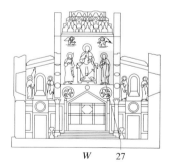

W   27

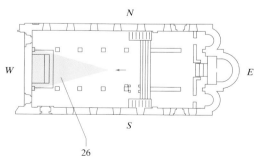

N

W   E

S

26

29.

Il candelabro per il cero pasquale (**28**), addossato al pulpito, è una scultura in tre parti di epoca incerta, la cui collocazione attuale è probabilmente successiva alla risistemazione del pulpito nel XVII secolo alla quale risalgono elementi come il leggio con l'aquila e il leone (**31**). Alla base del candelabro si trovano quattro leoni che sbranano le loro prede, due uomini e due quadrupedi, raffigurazione del dolore del peccato (**29**). Il fusto, ottenuto dalla lavorazione di una colonna antica, è diviso in tre sezioni, separate da corone di foglie. La prima delle tre sezioni contiene aquile e una scena di caccia al leone, ispirata dai sarcofagi romani. Nella seconda si trova Cristo in trono, ai cui piedi si prostra un personaggio identificato con un arcivescovo. Sul lato opposto, un'altra figura umana è accompagnata da un angelo, mentre nella sezione superiore quattro aquile con prede strette negli artigli allungano il collo per beccare le code dei pavoni sovrastanti. Il fusto si conclude in un piatto decorato. A questa struttura, dalla forte coerenza stilistica, si sovrappone un bocciolo con quattro telamoni che sorreggono una tazza decorata (**30**), di fattura differente dal resto, probabilmente aggiunto in un secondo tempo. Le ipotesi per la datazione del candelabro contemplano la possibilità che sia contemporaneo alla Cappella oppure della fine del XII secolo (probabile datazione del bocciolo).

The paschal candle holder (**28**) alongside the pulpit is a three-part sculpture of uncertain date. It was probably placed in its current position after the pulpit was rearranged in the seventeenth century. The lectern with the eagle and the lion (**31**) also date from this period. The base of the candle holder is formed by four lions devouring two men and two beasts, and symbolises the agony caused by sin (**29**). The column itself was obtained by re-carving an ancient column and is divided into three sections, separated by crowns of leaves. The lowest section contains eagles and a scene from a lion hunt, and is inspired by the decorations on Roman sarcophagi. The middle section shows Christ enthroned, with a figure identified as an arch-bishop prostrate at his feet. On the opposite side, another human figure is being accompanied by an angel. In the third, uppermost section, four eagles holding prey in their talons stretch their necks upwards to peck at the tails of peacocks above. The column terminates in a decorated disc. The column is clearly coherent in style. It is topped, however, by a candle socket with four telamones holding a decorative cup (**30**). This element is evidently in contrast with the rest of the column stylistically, and was probably added at a later date. There are two hypotheses regarding the dating of the column of the candle holder: one is that it is contemporary with the chapel itself; the other is that it dates from the late twelfth century (also the likely dating of the candle socket).

31.

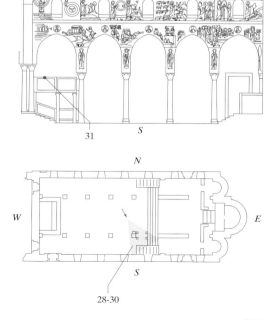

31

S

N

W

E

S

28-30

Il soffitto
The ceiling

Il soffitto in legno dipinto (**32**) della navata centrale della Cappella Palatina è unico al mondo. Realizzato all'inizio del XII secolo da artisti probabilmente egiziani, si compone di una fascia a *muqarnas*, una struttura di nicchie sfaccettate che si trova nell'arte islamica dell'Iran e del nord Africa, al di sopra della quale si trova il soffitto vero e proprio, segmentato in cassettoni stellati intervallati da stalattiti. L'intera struttura è costruita a incastro, con pannelli lignei sovrapposti a un'impalcatura in legno, ed è l'unico esempio noto di *muqarnas* realizzato con questa tecnica e non modellando o scavando il materiale. La sua decorazione, con scene fantastiche e di vita della corte, è opera di pittori provenienti dall'Egitto.

*There is nothing like the painted wooden ceiling (**32**) over the Palatine Chapel's central nave anywhere else in the world. The ceiling was completed at the beginning of the twelfth century, probably by Egyptian artists. It consists of a band of* muqarnas *(a structure of multi-sided niches typical of the architecture of Iran and North Africa), with the ceiling as such above it, formed by star-shaped panels interspersed with stalactites. The entire ceiling is supported by an assembled framework. The wood panels are therefore installed over a supporting structure, also in wood. This ceiling is the only extant example of* muqarnas *made using this technique rather than sculpting or moulding. The ceiling was painted by Egyptian artists and decorated with scenes of fantasy and court life.*

32.

Il *muqarnas* è composto da due moduli
complementari che si ripetono alternati: uno
più ampio, qui raffigurato (**33**), e uno più stretto.
Ciascuna di queste "unità" ha al suo interno
un certo grado di coerenza nella scelta dei
soggetti rappresentati, come nel caso di questa.
L'immagine in basso al centro, che in seguito a
rifacimenti e restauri mostra oggi un uomo seduto
sul collo di due quadrupedi, raffigurava in origine
il volo in cielo di Alessandro Magno grazie a due
grifoni, un tema molto diffuso nel mondo latino
e bizantino. Nei pannelli quadrati sui due lati si
trovano il carro solare (**34**) e quello lunare (**35**),
che non appartengono al repertorio islamico
ma derivano probabilmente da modelli latini.
L'estraneità di queste immagini alla cultura dei
pittori indica che furono probabilmente richieste
dai committenti, come simboli legati al potere
del re che sedeva sul trono (**26**) al di sotto di
questi pannelli. Gli altri soggetti comprendono
leoni alati, un'aquila (ridipinta nel XVI secolo),
suonatori e diverse '*anqa*', uccello della
mitologia islamica con testa di donna.

The muqarnas *is composed of two
complementary modules that repeat and
alternate: one broad module, shown here (**33**),
and a narrower module. Each module represents
a decorative unit, and contains designs with a
certain degree of harmony in terms of subject
matter, as the example shown here illustrates. The
image at the bottom centre has been subjected
to various restorations and renovations and today
depicts a man seated on the necks of two beasts.
Originally it showed Alexander the Great being
lifted to heaven by two gryphons, a popular story
in the Roman and Byzantine worlds. The square
panels to either side represent the chariots of the
sun (**34**) and moon (**35**), concepts that do not
belong to Islamic tradition and were most likely
copied from Roman models. The fact that these
images did not come from the native culture
of the artists could well suggest that they were
specifically requested by the king as symbols of
his power. The throne (**26**), after all, was located
underneath these panels. Other images include
winged lions, an eagle (re-painted in the sixteenth
century), musicians and various examples of
the '*anqa*', a bird with the head of a woman,
borrowed from Islamic mythology.*

34.

35.

33-35

36.

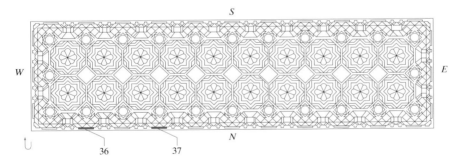

S

W   E

N

36   37

L'immagine di quest'uomo che regge due croci, al di sotto della quale si trova un'iscrizione in arabo (**36**), una comune formula augurale, con la quale si chiede a Dio di garantire potere e buona sorte al sovrano, è una delle più enigmatiche della Cappella. Il personaggio potrebbe raffigurare un prete o un vescovo impegnato in un rituale di benedizione rivolto al re, anche se i tratti somatici ricordano quelli delle figure regali che si trovano immediatamente sopra a questo pannello, il che forse significa che quella raffigurata è una cerimonia in cui era il re stesso a impartire una benedizione. Questa immagine in cui una formula rituale islamica è associata a un rito cristiano dimostra, per la sua difficile interpretazione, l'unicità della commistione di culture presente nella Cappella.

*Underneath the image of this man holding two crosses (**36**) we find an inscription in Arabic. The text is a common prayer formula asking God to grant power and good fortune to the sovereign. The image is one of the most enigmatic in the chapel. The figure could represent a priest or a bishop performing a ritual blessing of the king, but the man's features are reminiscent of those of the king as portrayed directly above this panel. It is possible, therefore, that the image depicts the king himself performing a ceremony of blessing. The problematic interpretation of this image, which associates an Islamic religious formula with a Christian religious rite, underlines the unique blend of cultures found in the Palatine Chapel.*

37.

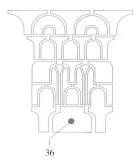

36

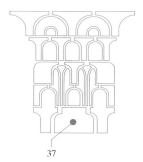

37

L'uomo e la donna in sella a cammelli (**37**) sono i protagonisti della storia d'amore araba *Diwan Majnun Layla* (*Layla e Majnun*, famosa per la versione del poeta persiano Nezami del XII secolo), che racconta dell'amore contrastato di un giovane di nome Qays per Layla. Quando lei viene promessa in sposa a un altro uomo, Qays diventa *majnun*, "pazzo": si rifugia nel deserto, dove compone versi in onore di lei. L'episodio qui raffigurato è l'ultimo incontro tra i due amanti, unito al sogno in cui un albero depone una corona sulla fronte di Majnun. La storia, molto nota nel mondo islamico, all'epoca della realizzazione del soffitto era probabilmente ignota a chi non conoscesse l'arabo.

*The man and woman riding camels (**37**) are the protagonists of the Arab love story* Diwan Majnun Layla *(Layla and Majnun), popularised by a twelfth century work by the Persian poet Nezami, relating the forbidden love of a young man called Qays for Layla. When Layla is promised as bride to another man, Qays becomes* majnun *(mad) and flees into the desert where he composes verses in her honour. The episode illustrated here shows the last meeting between the two lovers, and the dream in which a tree places a crown on the head of Majnun. The story was popular throughout the Islamic world, but at the time the ceiling was completed was probably unknown to anybody who did not speak Arabic.*

45

38.

Tra le scene dipinte nei soffitti della Cappella alcune mostrano il Palazzo Reale e i suoi ambienti. Per esempio, nel pannello in cui è ritratta la facciata di un edificio dalle cui finestre si affacciano donne velate (**38**), è verosimilmente possibile vedere l'aspetto della facciata orientale del palazzo. Nella stessa unità si trova anche una raffigurazione dell'interno della Cappella Palatina (**39**). Anche se oggi sono visibili solo due archi, questi erano in origine tre e raffiguravano le tre absidi dell'estremità est della Cappella. I due personaggi all'interno della Cappella sono un sacerdote e un giovane, forse un servo, che suona le campane: la Cappella aveva infatti anche un campanile, sulla cui datazione non si hanno però notizie certe.

*Some of the scenes painted on the ceiling represent the Royal Palace and its rooms. This panel (**38**), for example, illustrates a façade of the building with veiled women looking out of the windows, and could well be interpreted as representing the palace's eastern façade. The same decorative unit also contains a representation of the inside of the Palatine Chapel itself (**39**). Only two arches are still visible in the scene today. They were once three, however, representing the three apses at the east of the chapel. The two figures shown inside the chapel are a priest and a young man, perhaps one of the palace's servants, ringing a bell. The chapel did indeed have a bell tower at one time, but nothing certain is known about its dates.*

39.

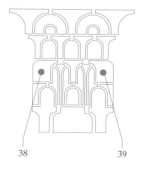

40.

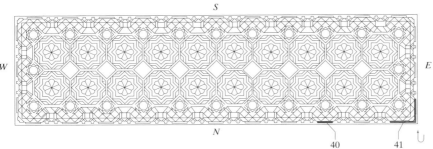

S

W   E

N

40   41

Un tema centrale della raffigurazione della vita di corte nei soffitti della Cappella Palatina è quello dei divertimenti e degli spettacoli. Le danzatrici dipinte dagli artisti egiziani sono definite in arabo *qayna*, parola che indica artiste versate nella danza, nel canto e nella musica oltre che nella composizione e nell'improvvisazione poetica. La *qayna* era espressione della raffinata cultura cortese di Baghdad tra l'VIII e il XIII secolo, modello di altre corti islamiche come quella del Cairo presso cui si erano formati i pittori del soffitto. La danzatrice qui raffigurata (**40**), che ha ai lati suonatrici di flauto e tamburo, è impegnata nella "danza delle maniche" (o "delle sciarpe"), documentata già in Cina nel V secolo e poi nei cicli regali della corte egiziana. Sul tamburo della suonatrice è scritta una parola in arabo, oggi impossibile da decifrare.

*The theme of entertainment and spectacle is central to the portrayal of court life on the ceiling of the Palatine Chapel. The dancers painted by the Egyptian artists appear dressed as qayna. The Arab qayna was a skilled dancer, singer, musician or writer and improviser of poetry. Qaynas originated in the culturally refined court of Baghdad between the eight and thirteenth centuries. Many Islamic courts of the period, including that of Cairo, where the painters of the ceiling learned their art, were modelled on that of Baghdad. The dancing girl shown here (**40**) is accompanied by musicians playing a flute and a drum. She is performing a sleeve dance or veil dance, a form first recorded in fifth century China and imported into the dance cycles of the royal Egyptian court. A word in Arabic appears on the drum, but cannot be deciphered today.*

48

41.

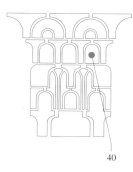

40

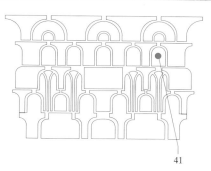

41

Come le danzatrici, anche i musicisti sono una presenza costante sia nel soffitto centrale sia nei soffitti delle navate laterali (cfr. **40**, **94**, **95**). Lo strumento che questa donna (**41**) stringe tra le mani è un tamburo quadrato, tipico della cultura pre-islamica, usato ancora oggi nella Spagna settentrionale. Altri tamburi suonati dai musicisti della Cappella Palatina sono a cornice rotonda o ovale, anche se il tipo più diffuso è quello il cui corpo è a forma di clessidra, largo alle estremità e stretto nel centro. La parola scritta sulla pelle di questo tamburo è indecifrabile, anche se potrebbe trattarsi del nome della suonatrice. Si deve ricordare comunque che le immagini dei musicisti sono realizzate secondo le convenzioni artistiche della corte del Cairo e non sono fonti attendibili per ricostruire la musica realmente eseguita alla corte di Ruggero.

*Musicians, like dancers, are also common figures on the ceiling of the nave and on those of the aisles (see **40**, **94**, **95**). This woman (**41**) is holding a square drum typical of pre-Islamic culture. A similar instrument is still in use in parts of northern Spain. The musicians depicted in the Palatine Chapel also play other types of drum, including round and oval versions, though the most common has the shape of an hour-glass, broad at the ends and narrow in the middle. The word written on this drum can no longer be deciphered with certainty, but could simply represent the name of player. It must be borne in mind that the images of these musicians have been painted according to the artistic conventions of the royal court of Cairo: they cannot be taken as evidence that music based on these instruments was actually played in the court of Roger II.*

49

42.

Il personaggio che ricorre con frequenza maggiore nei soffitti è il *nadim* (**42**, **43**), il "compagno di bicchiere" del sovrano, raffigurato come un uomo seduto con le gambe piegate che solleva una coppa davanti a sé. I I *nadim*, che indossa sempre una veste dalla ricca decorazione e in alcuni casi un cappello a punta, era un personaggio, tipico delle corti islamiche, il cui compito era intrattenere il re e i suoi ospiti, secondo un'elaborata etichetta codificata in diversi manuali redatti nel corso dei secoli che prescrivevano lo stile di conversazione e i comportamenti da tenere nelle diverse occasioni. Non si sa con certezza se alla corte normanna di Palermo vi fossero veramente dei *nadim*: è probabile che le fonti arabe che li citano proiettassero sulla corte di Ruggero e dei suoi successori l'immagine di una corte islamica idealizzata.

*The most common figure on the ceilings is the nadim (**42**, **43**), the king's drinking companion. He is frequently shown sitting with bended knees, holding a cup in front of him, dressed in a richly decorated tunic and sometimes even in a pointed hat. The nadim was a key figure in Islamic courts. In particular, he was responsible for entertaining the king and his guests following an intricate etiquette, the rules of which were drawn up in various manuals over the centuries, and prescribed the style of conversation and the behaviour required for different occasions. We cannot be sure whether the Norman court of Palermo employed nadims or not. It is quite possible that the Arab artists entrusted with decorating the ceiling merely projected on to the court of Roger II and his successors the images of an idealised Islamic court.*

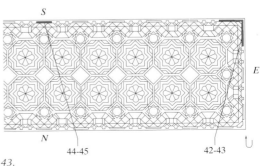

43.

Nella raffigurazione della corte, ideale o reale che sia, non può ovviamente mancare il sovrano. Figure regali compaiono due volte a coppie nella Cappella Palatina, mentre almeno altri tre personaggi identificabili come re si trovano invece isolati. Questi sono i due sovrani al centro del lato sud (**44**, **45**), posti esattamente di fronte ai pannelli con il palazzo e la cappella. Entrambi hanno lunghi capelli neri e una folta e lunga barba a punta, indossano una tunica elaborata e siedono in una posa convenzionale. Nelle mani stringono una coppa di vino e una palmetta. Dei due servitori nella prima immagine, quello sulla sinistra è un coppiere (*saqi*), mentre quello sulla destra suonava in origine uno strumento a fiato, andato perduto nei restauri. Queste immagini di sovrani, che dovrebbero riprodurre le fattezze di Ruggero II, sono forse state il modello per il mosaico settecentesco che lo raffigura all'esterno della Cappella (cfr. **11**).

*No representation of a royal court, ideal or real, is complete without the figure of the sovereign. Pairs of royal figures appear twice on the ceilings of the Palatine Chapel, and another three figures identifiable as the king appear in isolation. This pair of kings (**44**, **45**) appears in the centre of the south side, directly opposite the panels depicting the palace and the chapel. They both have long black hair and a thick pointed beard, wear an elaborate tunic, and are seated in a conventional pose. In their hands they hold a wine cup and a palm leaf. In the first image, the servant on the left is a saqi (cup bearer); the one on the right originally played some kind of woodwind instrument, but this has been eliminated by later restorations. We can assume that these images reproduce the features of King Roger II. They may even have served as the models for the eighteenth century mosaic of him that appears outside the chapel (see **11**).*

44.

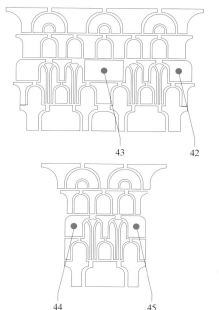

43   42

44   45

45.

46.

Il tema del cavaliere che uccide un drago (**46**) si ripete quattro volte nei pannelli del soffitto ed è ispirato dalle icone cristiane che raffigurano san Teodoro, molto venerato dalla famiglia di Ruggero II (cfr. **74**). Soldato romano, Teodoro venne giustiziato per il rifiuto di venerare gli dei pagani e per aver incendiato un tempio, ma già dal VII secolo, prima di san Giorgio, è raffigurato come uccisore di draghi. Gli artisti egiziani hanno reinterpretato questa scena estranea alla loro tradizione quasi depurandola di ogni ispirazione cristiana. Un'immagine in particolare (**47**) si distacca del tutto dal tema del trionfo del bene sul male e si trasforma in una scena fantastica di lotta dall'esito incerto, forse ispirata dalle gesta di eroi della tradizione del vicino Oriente.

*The theme of a horseman slaying a dragon (**46**) is repeated four times in different ceiling panels and is inspired by Christian icons depicting St Theodore, a saint who was greatly venerated by the family of Roger II (see **74**). Theodore was a Roman soldier who was martyred for his refusal to worship pagan gods and for having set fire to a temple; he was often depicted as a dragon slayer from the seventh century, well before the image of St George became popular. The Egyptian artists have interpreted this episode, completely foreign to their own religious culture, in such a way that all its Christian references have disappeared. One image in particular (**47**) has totally lost the theme of the triumph of good over evil; it has assumed instead the form of a fantastic scene illustrating a battle of uncertain outcome. This particular image could well have been inspired by legends of traditional near-eastern heroes.*

47.

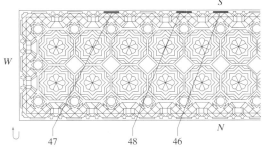

48.

Questa immagine di due uomini di fronte a una tenda (**48**) potrebbe essere la più antica raffigurazione nota del gioco degli scacchi, che si era diffuso nel corso del XII secolo in gran parte dell'Europa e che sia la cultura islamica sia quella cristiana lodavano perché richiedeva saggezza e abilità, a differenza dei giochi di azzardo. Gli scacchi erano quindi un intrattenimento molto praticato nelle corti, parte integrante delle competenze di un *nadim*, quindi la scena si può assimilare a quelle che mostrano momenti della vita quotidiana all'interno del palazzo, con il giocatore sulla destra, più anziano del compagno, che sta forse insegnando le regole del gioco.

*This image of two men sitting in front of a tent (**48**) could well be the oldest known representation of the game of chess. Chess became popular in much of Europe during the twelfth century and was encouraged by both Christian and Islamic cultures as a game of perception and skill, in contrast to games of chance. Chess was a popular game at court, and an integral part of the duties of a* nadim. *This scene is similar to those showing moments of daily life around the palace. The older player on the right is, perhaps, explaining the rules of the game to his younger companion.*

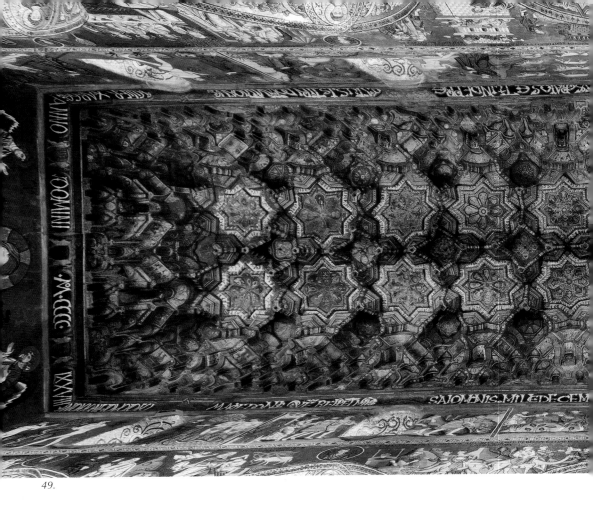

49.

Il soffitto centrale della Cappella (**49**) è composto da venti cassettoni a forma di stella a otto punte, intervallati da ventidue cassettoni che contengono una piccola cupola, mentre lungo la dorsale centrale si trovano nove cassettoni a forma romboidale. Dalle punte dei cassettoni scendono verso il basso stalattiti piramidali. Tutta la struttura è in legno, dipinta dagli stessi artisti responsabili del *muqarnas* con immagini di uomini e animali immerse in una grande varietà di decorazioni fogliacee o geometriche e iscrizioni arabe.

The nave ceiling of the Palatine Chapel (**49**) is made up of twenty panels in the shape of eight-point stars, with twenty-two other panels containing small domes running outside them, and nine rhomboid panels running down the middle. Pyramid shaped stalactites hang from the tips of the panels. The entire structure is made from wood. It was painted by the same artists who decorated the muqarnas, and contains images of men and animals against a wide variety of backgrounds formed by sylvan and geometric motifs and Arabic inscriptions.

foto Ghigo Roli / *photo Ghigo Roli*

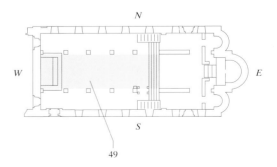

49

50.

A differenza di altre stelle, divise in otto spicchi (cfr. **52**), questa (**50**) ha al centro un complesso motivo ornamentale che dà vita a otto tondi con busti di *nadim* alternati a uccelli in volo. Lungo il contorno della stella corre un'iscrizione bianca in arabo contenente un'invocazione tratta dal repertorio convenzionale islamico di suppliche a Dio per il conferimento di virtù e favori al ricevente, in questo caso il sovrano. Le stalattiti circostanti sono invece decorate con motivi che richiamano visivamente la scrittura ma che non hanno in realtà alcun contenuto verbale.

*Unlike the other eight point stars (see **52**), this one (**50**) features in its centre a complex ornamental motif that develops into eight medallions containing busts of* nadim *alternating with flying birds. Around the outside of the star* runs an Arabic inscription in white. This is a conventional Islamic invocation, asking God to bestow virtue and favours, in this case the king. The surrounding stalactites are decorated with motifs that resemble Arabic script but are not actually writing at all.

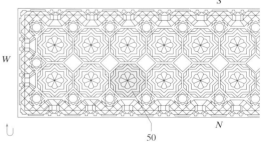

51.

Quella delle "tre lepri" (**51**) è un'illusione ottica, che ricorda alcune opere di Escher, diffusa dall'Estremo Oriente all'Europa: tre lepri disposte a triangolo, ciascuna delle quali condivide un orecchio con quelle adiacenti. Il risultato è che nonostante siano dipinte solo tre orecchie ogni animale sembra averne lo stesso due. Qui, decora uno dei rombi del soffitto, anche se a causa dei restauri e dei rifacimenti che hanno avuto luogo nel corso dei secoli l'orecchio più in alto oggi non è più visibile.

*The "three hares" design (**51**) is an optical illusion not unlike the works of Escher, and reached Europe from the Far East. The three animals are arranged in a triangle, and each one shares one ear with the adjacent animal. The result is that though only three ears are actually*

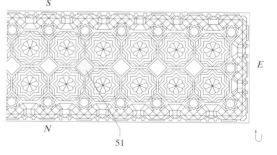

shown, each animal appears to have two. The design decorates one of the ceiling's rhomboids. Unfortunately, as a result of restorations and modifications over the centuries, the topmost ear is now no longer visible.

52.

Alcune parti del soffitto sono state restaurate, probabilmente nel XVIII secolo, come questa stella divisa in otto spicchi (**52**): i ritocchi sono visibili nella parte inferiore, specialmente nel personaggio seduto e nelle composizioni vegetali che lo affiancano. Il cappello conico rosso in origine era un *qalansuwa*, copricapo arabo indossato anche dagli altri *nadim* della stella: l'unico che si distingue ancora con chiarezza è quello all'opposto del personaggio restaurato. Lungo la cornice corre anche in questo caso un'invocazione rituale ("beatitudine e perfezione e buona sorte e fato propizio e custodia e vittoria e sicurezza e successo e capacità e vittoria e sicurezza e buona sorte e fato propizio").

*Some parts of the ceiling have been restored, probably in the eighteenth century. This star divided into eight sections (**52**) is an example. The touch-up work is clearly visible at the bottom of the image, especially on the seated figure and in the floral compositions to either side. The figure's conical red hat was originally a* qalansuwa, *the same Arab headgear worn by the other* nadim *in the star. The only* qalansuwa *still clearly visible is on the head of the figure opposite the repainted figure. A ritual invocation runs around the outside of the star ("beatitude and perfection and good luck and favour and custody and victory and safety and success and ability and victory and safety and good luck and favour").*

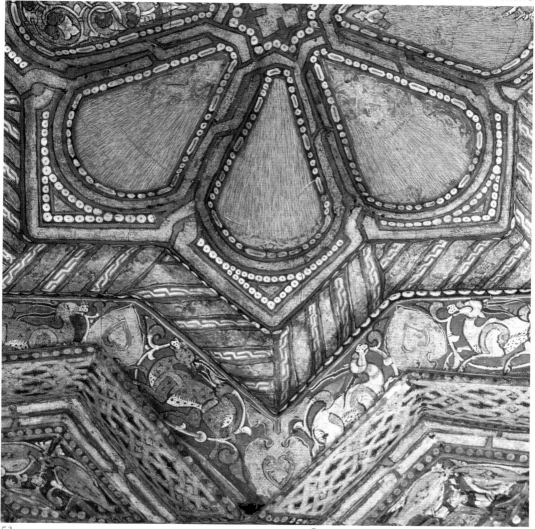

53.

Le due stelle all'estremità est del soffitto, quelle verso il presbiterio, sono le uniche a non avere un'iscrizione lungo la cornice: ospitano invece una successione di animali, stambecchi o antilopi, intervallati da palmette (**53**). Non è ben chiaro il perché di questa variazione nello schema decorativo, forse un richiamo a passi biblici del libro del profeta Samuele che parlano della fede in Dio che permette di "arrampicarsi sulle alture come le cerve". La presenza di questi animali nella parti alte del soffitto parrebbe quindi un'allusione alla similitudine biblica.

The two stars at the east end of the ceiling, towards the presbytery, are the only ones without inscriptions around them. Instead they are surrounded by a sequence of animals, ibexes or antelopes, divided by palm leaves (53). The

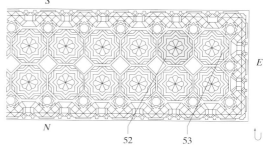

reason for this variation in the decorative scheme is unclear. Perhaps it serves as a reference to passages from the book of the prophet Samuel, which describe faith in God as giving the power to climb heights like a deer. The appearance of such animals in the high ceiling could well be an allusion to this biblical simile.

59

La navata nord
The north aisle

Le due navate laterali, molto più strette di quella centrale, contengono sulle pareti i mosaici con le *Storie di san Pietro e san Paolo* e sono coperte da un tetto spiovente in legno. L'interno degli archi che le separa dalla navata centrale è decorato anch'esso a mosaico, con immagini di santi (**56**). Sulla parete di fondo della navata nord, opposta all'attuale porta di accesso alla chiesa, si trova un'acquasantiera in porfido (**54**), realizzata forse nel XVII secolo assemblando materiali di epoche precedenti, così come quella simile che si trova nella navata sud.
Al di sotto di tre delle finestre che intervallano i mosaici (la prima, la seconda e la quarta) si possono leggere iscrizioni che documentano i restauri svolti in diverse epoche (1345, 1462, 1450) (**55**).

The two aisles are far narrower than the nave. Their walls are decorated with mosaics illustrating episodes from the Lives of St Peter and St Paul. *They are enclosed at the top by sloping wooden roofs. The intradosses of the arches that separate the aisles from the nave are also covered in mosaic decorations featuring images of the saints (**56**).*
*Along the back wall of the north aisle, opposite the current door to the chapel, stands a stoup made from porphyry (**54**). It was made perhaps in the seventeenth century by assembling remnants of material from previous eras. A similar stoup is found in the south nave.*
*Below three of the windows dividing the mosaic images (the first, second and fourth) we can read inscriptions (**55**) documenting restorations completed at various dates (1345, 1462, 1450).*

54.

55.

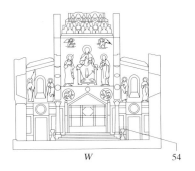

W   54

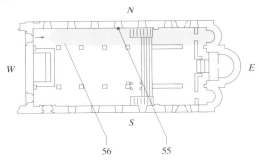

56   55

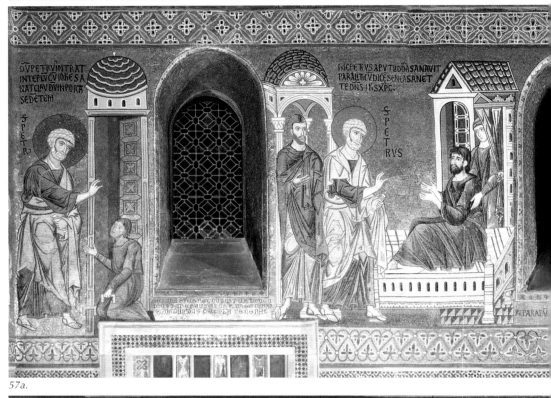

DÛPETRÛINTRAT
INTEPLÛCVIOBESA
NATCLAVDVINPORA
SEDETEM

SPETRᵛ

HICPETRVSAPVTLÛDDASANAVIT
PARALITICVDICESENEASANET
TEDNS IHSXPC.

SPETRVS

REPARATV

57a.

S PAULO ROMAM ADVENIENTI INDE S PETRVS
CVM PAVCIS CHRISTIANIS OCCVRRIT VSQVE AD APPII FORVM
AC TRES TABERNAS . QVOS CVM VIDISSET PAVLVS .
GRATIAS AGENS DEO . ACCEPIT FIDVCIAM .

S
PAV
LVS

S
PET
RVS

HIC PETRVS ET PAVLV INTRAVERVNT AD NER
ET DISPVTAVERVNTCVSIMONE MAGO

S PAVLVS . S PETRVS .

S MAGᵒ NER

SIMON

IOANNES
ANNO

SICILIÆ REX
MCCCCLX

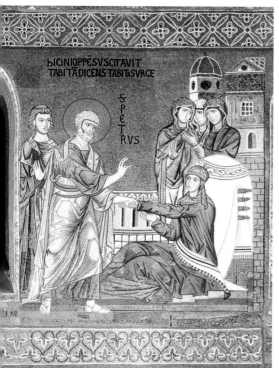

hIC IN IOPPE SV SCITAVIT
TABI TA DICENS TABITA SVRGE

S PE T RVS

Le S*torie di san Pietro e san Paolo*, ai quali è dedicata la Cappella, si sviluppano nei mosaici delle due navate laterali. Il ciclo trae ispirazione sia dagli *Atti degli Apostoli* sia da testi apocrifi, da cui sono tratte in particolare le scene con Pietro a Roma insieme a Paolo. L'ordine di lettura delle storie è spezzato tra una navata e l'altra: la navata nord ospita così sia l'inizio della vita apostolica di Pietro (*La guarigione dello storpio, La guarigione di Enea a Lidda, La resurrezione di Tabita a Ioppa*) (**57a**) sia episodi che vedono protagonista anche Paolo (*San Pietro e san Paolo si incontrano a Roma, La disputa con Nerone, La caduta di Simon Mago*) (**57b**). Il modello di questi mosaici è ben radicato nella tradizione occidentale, mentre è insolito che non siano rappresentate le scene del martirio dei due santi.

The scenes from the Lives of St Peter and St Paul, *to whom the chapel is dedicated, are illustrated in mosaics in both the aisles. The image cycle is inspired not only by the* Acts of the Apostles *but by various apocryphal texts. The scenes of Peter and Paul together in Rome are certainly drawn from such stories. The viewing sequence is broken up between the two aisles: the north aisle illustrates the beginning of Peter's apostolic life (*The healing of the cripple, The healing of Aeneas in Lydda, The resurrection of Tabitha in Joppe*) (**57a**) along with episodes in which Paul is the main protagonist (*Peter and Paul meeting in Rome, Paul's dispute before Nero, and* The fall of Simon Magus*) (**57b**). While the style of these mosaics is firmly rooted in western tradition, the absence of scenes showing the martyrdom of the two saints is unusual.*

HIC
PRÆCEPTO
PETRI ORATIONE PAULI.
SIMON MAGUS CECIDIT
IN TERRAM.

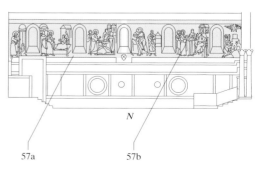

N

57a

57b

57b.

DVPETRVINTRAT
INTEPLVCVIOHESA
NATCLAVDVINPORA
SEDETEM

·SPETR?·

·IOHANES·

La vita apostolica di san Pietro inizia con la guarigione di uno storpio nel tempio di Gerusalemme (**58**), indicato dalla porta socchiusa sormontata da una cupola. Alle spalle di Pietro, ma sulla parete adiacente, si trova un altro apostolo, san Giovanni. La scena ha subito diversi restauri, alcuni dei quali (come nel caso dei piedi del santo) abbastanza riconoscibili. L'iscrizione in latino riporta il relativo brano degli *Atti degli Apostoli*.
Il ciclo degli atti miracolosi di Pietro, dopo la guarigione di un uomo paralizzato, culmina con la resurrezione di una donna, Tabita, a Ioppe (l'odierna Jaffa) (**59**). L'intero mosaico è stato restaurato e in parte rifatto nel XV secolo, come si vede per esempio dalle mani delle tre donne che assistono al prodigio.

*The apostolic life of St Peter begins with the healing of the cripple in the temple in Jerusalem (**58**), the temple being shown as a half-open door with a dome on top. Behind Peter, but on the next wall, we see another apostle, St John. The scene has been subjected to restoration at various dates; some of these are easily recognisable (the feet of the saint being one such example). The inscription in Latin quotes the relevant passage from the* Acts of the Apostles.
*The cycle of miracles performed by Peter continues the healing of Aeneas and culminates in the resurrection of the woman Tabitha in Joppe (the modern Jaffa) (**59**). This entire mosaic was restored and partly renewed in the fifteenth century, as can be seen from the hands of the three women witnessing the miracle.*

58.

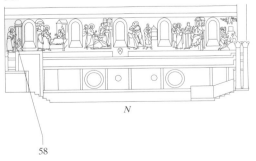

N

58

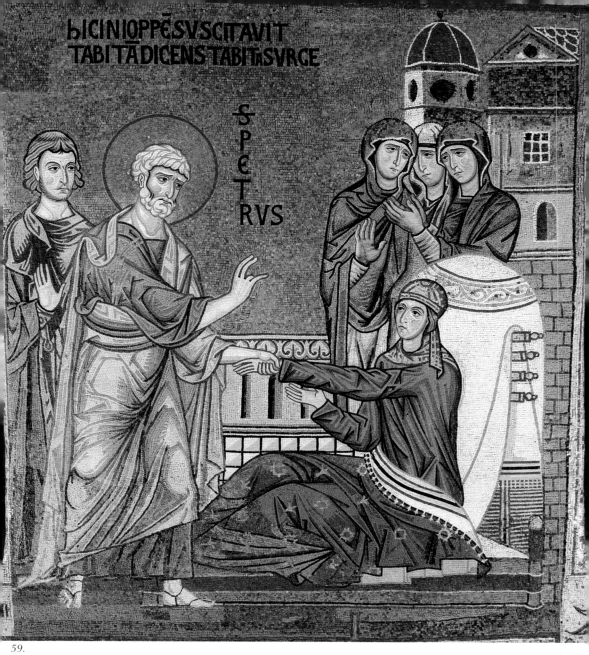

59.

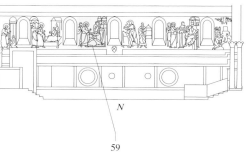

N

59

HIC PETRVS ET PAVLV INTRAVERVNT AD NERONE
ET DISPVTAVERVNT CVSIMONE MAGO
S PAVLVS . S PETRVS .
SIMON   MAG⁹   NERO REX

60.

Pietro e Paolo, sulla sinistra, disputano con
Simon Mago alla presenza di Nerone e di un suo
cortigiano (**60**). I testi apocrifi contengono diverse
descrizioni di questa sfida, a base di prodigi, tra
lo stregone e i due apostoli, ma il mosaico sceglie
di non mostrare nessun atto sovrannaturale, solo
quella che sembra essere una disputa verbale.
In seguito, Simone spicca il volo per dimostrare i
suoi poteri. Ma Pietro, sostenuto dalla preghiera
di Paolo, ordina ai demoni che in realtà lo
sorreggono di lasciarlo andare (**61**). Qui le
versioni differiscono: in alcuni testi Simone si
rompe una gamba in tre punti e muore in seguito
all'amputazione o lapidato dalla folla, in altre
la caduta gli è fatale. Gli *Atti di Paolo e Pietro*
raccontano che Nerone ordinò di conservare il
corpo di Simone intatto, convinto che sarebbe
resuscitato dopo tre giorni.

*Peter and Paul, on the left, dispute with Simon
Magus in the presence of Nero and one of his
courtiers (**60**). Apocryphal texts contain differing
accounts of this challenge, relating various
wonders wrought by the saints and the magician,
but the author of the mosaic has preferred to
avoid illustrating superhuman deeds and has
limited himself to depicting the dispute itself.
In the next scene, Simon flies to demonstrate his
powers. But Peter, supported by the prayers of
Paul, orders the demons holding the magician to
let him drop (**61**). Here the texts contain varying
outcomes. In some, Simon breaks his leg at three
points and dies as a result of its amputation; in
others he is stoned to death by the mob; in yet
others the fall itself proves fatal. The* Acts of Peter
and Paul *relate that Nero ordered the body of
Simon to be preserved, convinced that he would
return to life in three days.*

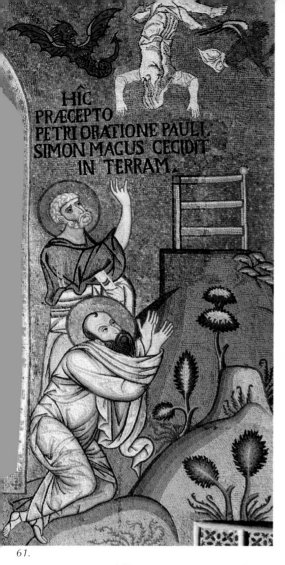

HÎC PRÆCEPTO PETRI ORATIONE PAULI, SIMON MAGUS CECIDIT IN TERRAM.

SANCTA PERPETUA

61.

62.

La parete opposta della navata presenta tondi con busti di sante e sante ritratte a figura intera. Tutte le sante reggono una croce nella mano sinistra e hanno la mano destra aperta o, come nel caso di *Santa Perpetua* (**62**), chiusa in un gesto, le "corna", che insieme ad altri gesti augurali di probabile provenienza orientale compare spesso nella Cappella. Altri tondi con busti di santi si trovano all'interno degli archi.

The opposite wall of the aisle is decorated with medallions containing busts and full height figures of female saints. All the saints are shown holding a cross in their left hands and with their right hands open or, as in the case of St Perpetua (**62**), held in the gesture of the "horns", a gesture that appears often in the chapel, along with other gestural greetings probably of oriental origin. More medallions containing busts of saints are found on the arch intradosses.

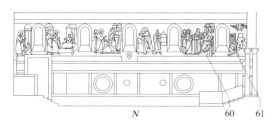

N   60   61

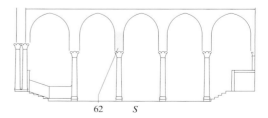

62   S

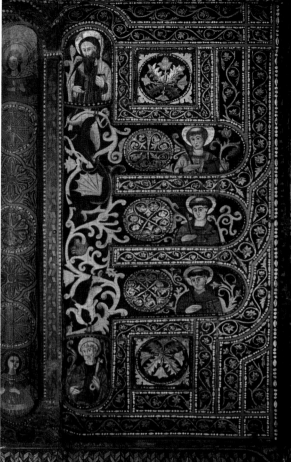

64.

65.

I soffitti delle navate laterali (**63**) sono opera degli stessi artisti responsabili del soffitto della navata centrale. La struttura è però molto più semplice: cassettoni in legno lunghi e stretti, con estremità semisferiche. Alle estremità del soffitto (**64, 65**), tre cassettoni più corti, perpendicolari agli altri, chiudono la composizione.

Molte delle pitture originali del XII secolo dei soffitti delle navate laterali sono andate perduti per colpa di infiltrazioni d'acqua dal tetto: delle due, la navata nord è quella conservata meglio, avendo mantenuto circa la metà dei dipinti originali.

*The aisle ceilings (**63**) are the work of the same artists who painted the ceiling over the nave. Structurally, however, they are far simpler, and consist only of long, narrow panels rounded at the ends. At the ends of the north aisle ceiling (**64, 65**), three shorter panels arranged perpendicular to the others complete the composition.*

Many of the original twelfth century paintings have been lost from the aisle ceilings as the result of water infiltration through the roof. Of the two ceilings, that of the north aisle is better preserved; around half of its paintings are still original.

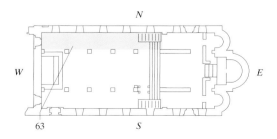

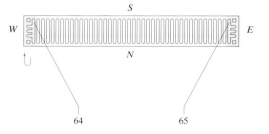

66.

67.

Nella loro forma di donne-pesce, le sirene appartenevano in origine alla mitologia orientale (quelle greche erano infatti donne con ali e gambe da uccello): qui (**66**) sono raffigurate in una vivace scena di lotta, forse ispirata a una delle numerose storie, alcune delle quali raccolte nelle *Mille e una notte*, che le vedono protagoniste.

*Mermaids (half fish and half woman) were borrowed by European mythology from Islamic legends. The sirens of Greek mythology have frequently been confused with mermaids but were actually women with the wings and legs of birds. In this scene (**66**), two mermaids are shown wrestling. The image is perhaps inspired by one of the many stories about mermaids, some of which are related in the* One Thousand and One Nights.

La caccia con i falchi era un'attività tipica delle corti islamiche medievali, che poi si diffuse in Europa nel corso del Medioevo. Federico II, nipote di Ruggero, fu autore di uno dei più importanti trattati sull'argomento, *De arte venandi cum avibus*, dalle evidenti influenze arabe. Non si può dire però con certezza se questo falconiere a cavallo (**67**) (insieme agli altri tre del soffitto della navata settentrionale) testimoni la pratica della falconeria sotto Ruggero II o se si tratti di un'immagine convenzionale che evoca il concetto di regalità.

Hunting with falcons was one of the favourite sports of medieval Islamic courts, and spread to Europe during the medieval period. Frederick II, the nephew of Roger II, wrote one of the most important treatises on the subject: the work, entitled De arte venandi cum avibus, *contains clear Arab influences. We cannot know, of course, whether the falconer on horseback shown here (**67**) (or the other three that appear on the ceiling of the north aisle) proves that falconry was practised under Roger II or whether the image is merely a conventional one intended to convey the concept of royalty.*

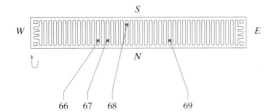

68.

69.

Quello delle donne velate all'interno di portantine da cammello è un motivo che ritorna tre volte nei soffitti della Cappella (**68**). È probabile che la scena sia l'illustrazione di un passo della storia d'amore araba *Layla* e *Majnun* (cfr. **37**) in cui i due amanti fuggono nel deserto in sella a cammelli.

*The image of women seated in chairs on camelback is another that is repeated three times on the ceilings of the chapel. This scene (**68**) probably illustrates a passage from the Arabic love story of* Layla and Majnun *(see **37**) in which the two lovers flee into the desert on camels.*

Questa (**69**) è una delle due coppie di sfingi nei soffitti della Cappella (l'altra è nell'angolo nord-ovest della navata centrale). Quasi sconosciuta nell'arte bizantina, la sfinge è invece ben presente nell'arte dell'Egitto fatimita da cui provenivano i pittori del soffitto, che hanno raffigurato però non la sfinge dell'antico Egitto ma quella islamica, con il corpo di leone e ali che spuntano dalle zampe anteriori.

*This (**69**) is one of two pairs of sphinxes found on the ceilings. (The other is in the northwest corner of the nave.) Though almost unknown in Byzantine art, the sphinx was a common image in the art of Fatimite Egypt, the home of the artists who painted the ceiling. Their sphinxes, however, are not those of ancient Egypt but those of Islamic tradition, with the body of a lion and wings over the front legs.*

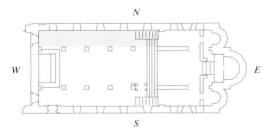

Il transetto nord

The north transept

Oltre la navata nord, adiacente al presbiterio, nella posizione in cui nelle chiese bizantine è collocata solitamente la *prothesis*, la tavola su cui vengono preparati il pane e il vino per l'Eucarestia, si trova il transetto. In questo caso però non si tratta di un ambiente autonomo, ma dipendente dal presbiterio, dal quale è separato solo da una balaustra in marmo intarsiato. A ovest un arco si apre sulla navata nord (**71**) e a sud uno sul presbiterio (**70**), mentre a est si trova l'abside del transetto. Alcuni gradini, affiancati da scale che conducono alla chiesa inferiore (cfr. **141**), separano navata e transetto.

Al di sopra dell'arco che dà sulla navata si trovano due pavoni, sormontati da tre sante, sant'Agata, santa Caterina d'Alessandria (raffigurata come un'imperatrice bizantina) e santa Venera. Mentre particolari delle prime due sante si ritrovano nei mosaici della cupola e del tamburo, l'ultima è in gran parte restaurata e non è allineata in altezza con le altre due. Non è ben chiaro il motivo per cui queste tre sante si trovano in questa posizione, allo stesso livello dei santi guerrieri bizantini raffigurati nell'arco verso il presbiterio. Un'ipotesi plausibile è che fossero poste a protezione della tomba della regina Elvira, prima moglie di Ruggero II, la cui tomba è documentata nel 1140 nella Cappella Palatina, forse proprio nel transetto nord.

In the Palatine Chapel, the north transept is located at the far end of the north aisle, alongside the presbytery where, in Byzantine churches, we usually find the prothesis – the table used to prepare the bread and wine for the Holy Eucharist. The Palatine Chapel's transept, however, is not really an autonomous area, but forms part of the presbytery, from which it is separated only by an inlaid marble balustrade. The arch to the west (**71**) opens on to the north aisle while the arch to the south (**70**) leads to the presbytery. The transept's apse lies to the east. Steps bordering the staircase to the lower church (see **141**) separate the aisle from the transept. Over the arch leading to the aisle we can see two peacocks, and three female saints above: these are Agatha, Catherine of Alexandria (depicted as a Byzantine empress) and Venera. Details of the first two saints are repeated in the mosaics of the dome and drum. The figure of Venera, however has been largely renewed and no longer even aligns with the other two in height. It is not known why these three saints appear in this position, at the same level as the Byzantine warrior saints portrayed in the arch leading to the presbytery. One plausible hypothesis is that they were placed there as protectors of the tomb of queen Elvira, the first wife of Roger II. The tomb was documented in 1140 as lying in the Palatine Chapel, perhaps right here in the north transept.

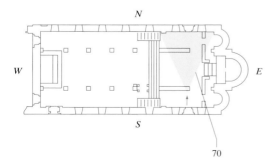

70

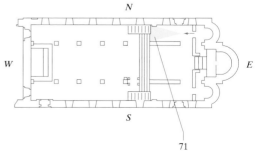

71

70.

71.

72.

La parete nord di questo transetto (**72**) ha subito nel corso dei secoli un gran numero di cambiamenti. In origine aveva quattro finestre, ma le due superiori sono state chiuse per problemi di stabilità nel XIX secolo e sostituite da un arco (cieco) a sesto acuto. Qui si trovava un balcone di legno usato dalla corte per seguire le funzioni, demolito all'inizio del XIX secolo. La fascia superiore, con la predica di san Giovanni Battista, è stata realizzata nel 1840 da Rosario Riolo che ricalcò lo stile antico; i mosaicisti locali responsabili della parte destra del mosaico non hanno invece usato la stessa cura. Questo mosaico è stato comunque descritto con entusiasmo dallo scrittore Guy de Maupassant nel resoconto del suo viaggio siciliano del 1885. Sono invece originali i Padri della Chiesa (san Gregorio di Nissa, san Gregorio di Nazianzio, san Basilio, san Giovanni Crisostomo, san Nicola) della fascia sottostante.

The transept's north wall (**72**) has undergone many changes over the centuries. It originally had four windows, but in the nineteenth century the top two were filled in to improve structural stability and replaced by a blind pointed arch. A wooden balcony, used by courtiers to follow functions, was once installed at this height. This was also demolished early in the nineteenth century. The left part of the upper band, incorporating the sermon of St John the Baptist, was completed in 1840 by Rosario Riolo in imitation of medieval style; the local mosaicists responsible for the area to the right of the arch clearly did not consider stylistic harmony important. This particular mosaic nevertheless elicited great enthusiasm in the French author Guy de Maupassant, and receives a special mention in the diary of his journey to Sicily in 1885. The church fathers in the lower band (St Gregory of Nyssa, St Gregory of Naziantium, St Basil, St John Chrysostom, and St Nicholas) are all original.

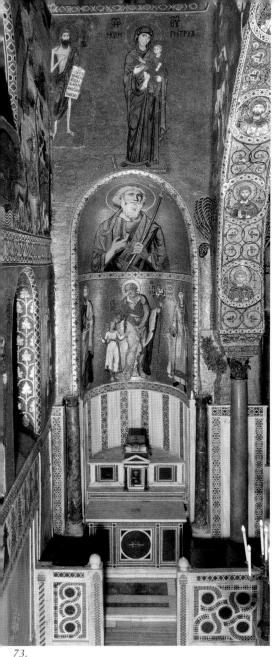

73.

Anche la decorazione dell'abside del transetto settentrionale (**73**), con la Madonna con Gesù Bambino e san Giovanni Battista sulla parete di fondo, è inusuale e in qualche modo riecheggia la *Natività* presente nella stessa posizione nel transetto. Giovanni Battista, in questo caso, avrebbe la funzione di richiamare la futura morte di Cristo: la pergamena che regge riporta, in greco, la citazione evangelica "Ecco l'agnello di Dio che toglie i peccati del mondo".
L'abside vera e propria presenta, nella cupoletta, il ritratto di sant'Andrea, molto restaurato. È stato suggerito che in origine vi si trovasse, per simmetria con san Paolo nell'altro transetto (cfr. **98**), san Pietro e che il santo attuale sia frutto di lavori di fine XII secolo. Sant'Andrea era venerato come fondatore della Chiesa di Costantinopoli e la sua presenza sarebbe quindi una scelta politica che riconosce pari dignità alla Chiesa cattolica (san Paolo) e a quella bizantina.
Al centro dell'abside si apriva in origine una finestra, chiusa nel XVIII secolo e sostituita da un mosaico di Santi Cardini che raffigura san Giuseppe e Gesù Bambino. Ai lati, sono invece originali san Barnaba, a sinistra, e santo Stefano, a destra; reliquie di questi due santi erano conservate nell'altare dell'abside, sostituito nel XIX secolo.

*The decorations in the apse of the north transept (**73**), including the Madonna and Child and St John the Baptist on the back wall, are somewhat unusual and reminiscent of the Nativity in the corresponding position in the transept itself. The function of John the Baptist in this case is to remind us of the coming death of Christ: the parchment he holds reads, in Greek, the biblical passage "Behold the Lamb of God, which taketh away the sin of the world".*
*The mosaic depicting St Andrew in the semidome of the apse itself has been radically restored. It has been suggested that, for reasons of symmetry with Paul in the opposite transept (see **98**), this position was originally occupied by St Peter, and that Andrew was substituted in the late twelfth century. St Andrew was venerated as founder of the Church of Constantinople, and his presence here can be interpreted as the result of a political decision to attribute equal dignity to the Catholic church (represented by Paul) and the Byzantine church (represented by Andrew).*
There was originally a window at the centre of the apse, but this was filled in during the eighteenth century and the area covered over by a mosaic by Santi Cardini depicting St Joseph with the Child Jesus. St Barnabas (to the left) and St Stephen (to the right) are original. Relics of both saints were preserved in the altar of the apse, which was only replaced in the nineteenth century.

N

W

E

S

73   72

Sull'arco tra transetto e presbiterio sono riprodotti a mosaico cinque santi, quattro dei quali (san Teodoro il soldato, San Nestore, San Demetrio, San Mercurio) ritratti con armi e armatura in virtù del loro essere stati soldati. Unico, per così dire, intruso, è san Nicola, che compare anche sulla parete opposta, uno dei santi bizantini più venerati e che ebbe un ruolo molto importante tanto per il cristianesimo bizantino quanto per quello latino.
È interessante notare un dettaglio dell'equipaggiamento militare di san Teodoro (**74**), cioè i gambali bianchi sui quali è visibile un motivo ornamentale che richiama la grafia araba. Si può immaginare che il mosaicista abbia voluto richiamare le iscrizioni arabe presenti in altri punti della Cappella. Questo è un esempio dell'interscambio che si verificò tra gli artisti di diverse scuole nel corso della decorazione dell'edificio; icone bizantine di san Teodoro che uccide un drago furono probabilmente usate dagli artisti egiziani che dipinsero il soffitto come modello per le numerose immagini di cavalieri che uccidono un drago da loro realizzate (cfr. **46**).

The mosaics on the arch between the transept and the presbytery portray five saints. Four of these (the warrior saints Theodore the Soldier, Nestor, Demetrius, and Mercurius) are shown bearing arms and wearing armour to emphasise their military past. The odd man out, so to speak, is St Nicholas, who also appears on the opposite wall. Nicholas was one of the most venerated of Byzantine saints, and an important figure in Byzantine and Roman Christianity.
*One detail of the armour of St Theodore (**74**) is particularly interesting: his white leggings feature a decorative motif reminiscent of Arabic script. It is possible that the mosaicist who completed this work wanted to imitate the Arabic inscriptions found elsewhere in the chapel. If so, this is another example of the cultural interchange that took place between artists of different schools during the decoration of the building: we have already seen how the Egyptian artists working on the ceiling may have used Byzantine icons of St Theodore killing a dragon as model for various images of horsemen slaying dragons (see **46**).*

74.

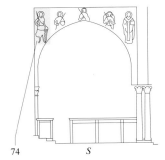

74   S

75.

Nestore, santo guerriero il cui busto è collocato sul vertice dell'arco (**75**), regge una lancia nella mano destra e la spada rinfoderata nella sinistra. È affiancato da altri due santi in armi, Demetrio e Mercurio, che portano entrambi scudi sui cui bordi si trovano pseudo-iscrizioni in caratteri arabeggianti.

*Nestor, the warrior saint whose bust appears at the top of the arch (**75**), holds a lance in his right hand and a sheathed sword in his left. Nestor is flanked by another two warrior saints, Demetrius and Mercurius, both carrying shields with fake inscriptions in Arabic-like characters around their edges.*

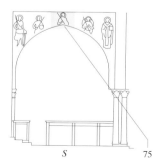

S   75

77

76.

Nella volta a botte del transetto è raffigurata l'*Ascensione* di Cristo (**76**). L'opera ha subito un gran numero di restauri, tra cui quelli del 1810 che rifecero completamente il medaglione con il volto di Cristo (**78**), dal quale si erano distaccati pezzi. La disposizione dei personaggi e delle scene prevede tre orientamenti diversi: il medaglione va visto guardando verso l'abside, il gruppo centrale con Maria (**77**) verso nord e gli altri apostoli verso sud.

The barrel vault roof of the transept depicts the Ascension of Christ *(**76**). The work has undergone many stages of renovation, including one in 1810 that completely re-laid the medallion containing the face of Christ (**78**), pieces of which had fallen away. The characters and scenes are arranged in three different orientations. The face in the medallion looks towards the apse; the central group including Mary (**77**) look northwards; the other apostles look southwards.*

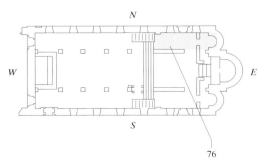

76

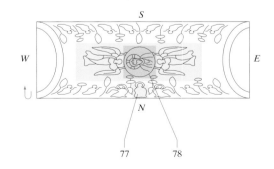

77   78

78

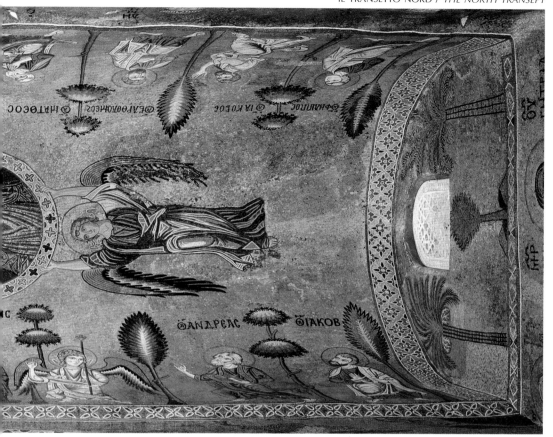

77.

78.

La navata sud
The south aisle

La navata sud della Cappella Palatina (**80**) contiene la porzione delle *Storie di san Pietro e san Paolo* che riguarda la vita di san Paolo e la fuga miracolosa dal carcere di san Pietro. Come già nella navata nord, la parete che la separa dalla navata centrale è decorata da immagini di sante, quattro a figura intera al di sopra delle colonne e quattro come busti all'interno di medaglioni. I busti di altri santi si trovano, insieme a decorazioni floreali e astratte, sulla superficie interna degli archi.

La porta in bronzo che dà sul nartece, l'ambiente alle spalle della parete di fondo, risale al XII secolo come quella che si trova nella navata nord. Il fatto però che entrambe siano decorate solo nella parte interna (**79**), quella che dà sulla Cappella, e che le loro dimensioni non combacino del tutto con quelle degli stipiti, fa pensare che si tratti di porte realizzate per altre aree del palazzo, collocate qui solo in un secondo tempo. La porta si apre sul nartece fortemente rimaneggiato, nel quale si trova il fonte battesimale del 1930.

79.

*The Palatine Chapel's south aisle (**80**) is decorated with* Scenes from the lives of St Peter and St Paul: *the episodes describe the conversion of Paul and Peter's miraculous escape from prison. As in the north aisle, the wall between the nave and the south aisle is decorated with images of female saints, four in full height over the columns and four as busts inside medallions. More busts of saints are found on the intradosses of the arches along with floral and abstract motifs.*

*The bronze door to the narthex beyond the back wall dates from the twelfth century, as does that in the north aisle. The facts that both doors are only decorated on the side facing the chapel (**79**), and that their dimensions do not correspond exactly to those of the door jambs, give us reason to believe that the doors were originally made for other areas of the palace, and were installed here only at a later date.*

The door opens on the radically restructurated narthex, which houses a baptisimal font dating only from 1930.

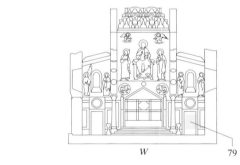

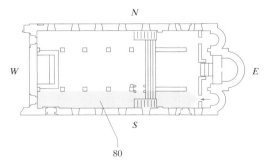

81a.

I mosaici delle *Storie di san Pietro e san Paolo* sul lato sud della navata meridionale si aprono con le vicende di san Paolo: prima, con il nome di Saulo, incaricato dal Sinedrio di perseguitare i cristiani, e poi, dopo la rivelazione sulla via di Damasco e il battesimo (**81a**), seguace di Cristo lui stesso con il nuovo nome di Paolo. Le ultime due scene raccontano la liberazione di Pietro da una prigione di Gerusalemme (**81b**). In questo modo, anche questa porzione del ciclo delle vite dei santi si conclude con una vittoria dovuta alla Fede e non con una scena di martirio. La scena della conversione di Saulo contiene diverse parti restaurate, le più evidenti delle quali sono le teste dei due personaggi alle sue spalle, ottocentesche.

The mosaics of the Stories of the saints Peter and Paul *on the south wall of the south aisle commence with the tales of St Paul. He first appears under the name Saul, entrusted by the Sanhedrin to persecute the Christians. After the revelation on the road to Damascus and his baptism (**81a**), he appears as a follower of Christ under the new name of Paul. The last two scenes tell of Peter's liberation from prison in Jerusalem (**81b**). In this way, the cycle illustrating the lives of the chapel's titular saints concludes not with a scene of their martyrdom but with scenes of victory for the faith. The scene of Saul's conversion contains a number of restored parts, the most evident being the heads of the two figures standing behind him, redone in the nineteenth century.*

81b.

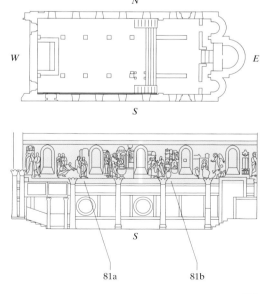

81a   81b

PAULUS DISPUTAT ET CONFUNDIT EOS. DEINDE FUGIENS DAT LOCUM IRÆ.

S PAU LUS

82.

A sinistra, Paolo difende la fede cristiana davanti agli stessi membri della Sinagoga che lo attendevano per condurre la persecuzione contro i seguaci di Cristo. L'esito del dibattito è facilmente intuibile dalla scena a destra: Paolo è costretto a fuggire dalla città, le cui porte sono presidiate da guardie incaricate di arrestarlo, facendosi calare dalle mura in una cesta (**82**). Colpisce l'espressione addolorata di Paolo nella cesta, talmente esagerata da sembrare quasi comica, e la ricca decorazione dell'armatura del soldato di guardia. Con questa scena si concludono le vicende di Paolo nella navata sud, che riprendono, con l'incontro a Roma con Pietro, nella navata nord.

To the left, Paul defends the Christian faith to members of the synagogue who are expecting him to lead the persecution of Christ's followers. The result is depicted in the next scene to the right. Paul is forced to flee. The gates of the town are guarded by soldiers instructed to arrest him, but Paul has himself lowered over the walls in a basket (**82**). We cannot help being struck by the expression on the face of Paul in the basket; his sadness is so exaggerated as to border on the comical. The richness of the guard's armour is also impressive. This scene concludes the tale of Paul in the south aisle. It is picked up again in the north aisle, with the saint's meeting with Peter in Rome.

RÆCIPIT ANGELUS PETRO UT CITO
RGAT &VELOCITER E CARCERE EXEAT

SANCTUS PETRUS

83.

Le ultime due scene sulla parete della navata
sud riguardano Pietro che, imprigionato a
Gerusalemme per ordine di Erode, fugge dal
carcere grazie a un angelo che addormenta le
guardie e gli spalanca la porta della cella (**83**). La
figura di Pietro è frutto di un rifacimento, fedele
allo stile originale, del 1735. Sullo scudo di una
guardia si vede una finta iscrizione in caratteri
pseudo-arabi.

*The last two scenes on the wall of the south
aisle recount episodes from the life of Peter.
Imprisoned in Jerusalem on the orders of Herod,
Peter is freed by an angel who causes the guards
to fall asleep and opens the door of the cell (**83**).
The figure of Peter here was renovated in the
original style in 1735. The shield of one of the
guards bears another mock inscription in pseudo-
Arabic characters.*

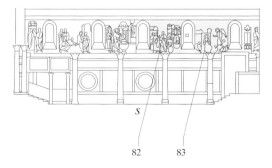

S

82   83

85

84.

85.

Le sante raffigurate sulla parete nord della navata sono otto, quattro a figura intera al di sopra delle colonne e quattro come busti nei medaglioni tra gli archi. Santa Radegonda (**84**), regina di Francia come moglie di Lotario I e poi monaca a Poitiers, è ritratta come una regina bizantina (come santa Caterina d'Alessandria nella navata opposta). Le altre tre sante a figura intera sono santa Margherita, santa Tecla (**85**) e santa Scolastica. Le quattro sante nei tondi sono sant'Anastasia e le sante Fede, Speranza e Carità, che simboleggiano le tre virtù cristiane (**86-88**).

*Eight female saints are shown on the north wall of the aisle, four as full height figures above the columns and four as busts inside medallions at the tops of the arches. St Radegund (**84**) was the wife of Clotaire I and therefore queen of France before she founded her nunnery in Poitiers. She is depicted here, however, as a Byzantine queen (just as Catherine of Alexandria appears in the opposite aisle). The other three full height saints are Margaret, Thecla (**85**) and Scholastica. The four busts in the medallions are of St Anastasia and of Faith, Hope and Charity, symbolising the three Christian virtues (**86-88**).*

86.

87.

88.

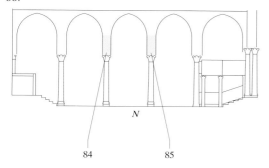

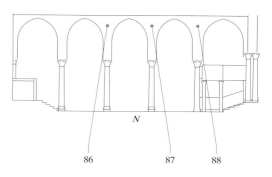

Gran parte delle pitture originali del soffitto della navata sud, realizzate nel XII secolo dagli stessi artisti che dipinsero il soffitto della navata centrale e della navata nord, sono andate perdute a causa di infiltrazioni d'acqua. Dei quarantotto scomparti, solo sette non presentano rifacimenti che sono databili al XV secolo o tra la metà del XVI e la metà del XIX secolo; si sono però conservate le iscrizioni in arabo sui bordi di due cassettoni. L'iscrizione in latino nel cornicione del soffitto ricorda i lavori di restauro ordinati nel 1382 da Ferdinando II d'Aragona.

Entrambe le estremità del soffitto sono state quasi completamente ridipinte, forse nel XIII secolo quella est e nel XV quella ovest. I busti originali, probabilmente dei *nadim*, i bevitori che accompagnavano il re nelle corti islamiche (cfr. **42**, **43**), sono stati sostituiti da busti di angeli (**89**) e santi (**90**); le decorazioni della parte est ricalcano probabilmente il modello originale, mentre il rifacimento a ovest sembra essere più radicale, tanto che i busti dei tre santi nei cassettoni più brevi sono ruotati di novanta gradi rispetto all'orientamento delle figure che hanno sostituito.

Many of the original paintings on the ceiling of the south aisle, completed in the twelfth century by the same artists responsible for the nave and north aisle ceilings have, over the years, been destroyed by leaks from the roof. Of forty-eight sections, only seven have not been modified by repair work carried out during the fifteenth century or in the period from the mid-sixteenth to mid-nineteenth centuries. Original Arabic inscriptions therefore remain only on the edges of two panels. The Latin inscription around the cornice of the ceiling records the restoration work ordered by Ferdinand II of Aragon in 1382. Both ends of the ceiling have been almost completely re-painted, the east end perhaps in the thirteenth century and the west end in the fifteenth. The original busts, probably depicting nadims, *the royal drinking companions of Islamic courts (see **42**, **43**), have been replaced by busts of angels (**89**) and saints (**90**). Restoration work at the east end of the ceiling seems to have reproduced the original designs, but renovations at the west end have been more radical, and the busts of the three saints in the shorter panels have been rotated through ninety degrees with respect to the figures they have replaced.*

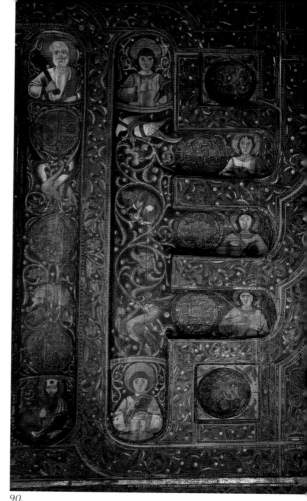

90.

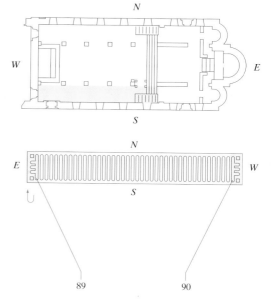

91.

92.

93.

Come dimostra la sua presenza diffusa non solo nei soffitti della Cappella ma anche in altre espressioni dell'arte regale coeva, il grifone era un animale molto amato dai Normanni, per la regalità che gli deriva dall'essere frutto dell'unione tra il re degli animali terrestri, il leone, e la regina dei cieli, l'aquila. La tipologia standard dei grifoni nei soffitti ha il corpo di leone, corte ali che spuntano dalle zampe anteriori e il becco da rapace (**91**). Ci sono però alcune eccezioni come quella qui mostrata, in cui al posto del becco c'è un muso canino (**93**); in un altro caso, i grifoni hanno inconsuete code da pesce (**92**).

As demonstrated by its popularity on the ceilings of the Palatine Chapel and in other expressions of court art from the same period, the mythological gryphon was much loved by the Norman kings as a symbol of royalty, being the offspring of a union between the king of the beasts (the lion) and the

*queen of the birds (the eagle). The standard form of gryphon found on the ceilings has the body of a lion, with short wings above the front legs and the beak of an eagle (**91**). There are, however, a number of exceptions. In one (**93**), the beak almost resembles a canine snout; another pair of gryphons (**92**) have been given unusual fish tails.*

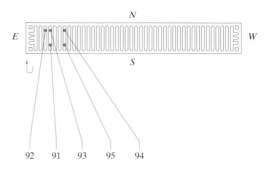

I suonatori sono uno dei soggetti più presenti nei soffitti della Cappella Palatina. Nonostante la musica non sacra fosse avversata dalle autorità religiose, la presenza di musicisti nelle corti islamiche era infatti considerata un segno di prestigio. I soffitti contengono un campionario di strumenti musicali tipici della musica araba piuttosto estesto, che comprende strumenti a corda, a fiato e diversi tipi di percussioni.
In questo caso, abbiamo due suonatrici (non sempre è possibile stabilire con certezza il sesso dei musicisti, anche perché nelle corti islamiche medievali l'ambiguità di genere era un tratto comune per gli intrattenitori), entrambe con uno strumento a corda. Una (**94**) pizzica con un plettro le corde di un *'ud*, uno strumento dalla cassa a forma di ovale allungato, dal cui nome deriva in molte lingue europee la parola che indica il liuto. L'altro strumento, suonato con un archetto, è un *rabab* (**95**).
Ai lati delle suonatrici, sul bordo che separa i cassettoni, si trovano le uniche iscrizioni arabe sopravvissute nella navata meridionale, tratte dal repertorio islamico per invocare benedizioni e virtù per il sovrano.

Musicians represent one of the most popular classes of figure on the ceiling of the Palatine Chapel. Despite the fact that non-sacred music was frowned upon by the religious authorities, the presence of musicians in Islamic courts was generally seen as a sign of prestige. The ceilings have been painted with a wide selection of musical instruments typical of Arab culture, including string and woodwind instruments and various types of drum.
*This section shows two female musicians, both playing stringed instruments. (It is not always possible to determine the sex of the musicians, since sexual ambiguity was a common characteristic among entertainers in Islamic courts of the period.) One musician (**94**) is using a plectrum to pluck the strings of an 'ud, an instrument with an elongated oval body. The Arabic "al'ud" is the origin of the word 'lute' in many European languages. The instrument played with a bow, in the hands of the other musician, is a rabab (**95**).*
Alongside these players, on the border around the panels, lie the only Arabic inscriptions to have survived in the south aisle; they come from the Islamic repertory of prayers invoking blessings and virtues on behalf of the king.

94.

95.

Il transetto sud
The south transept

Il transetto meridionale (**97**) si trova nella posizione che nelle chiese bizantine è occupata dal *diaconicon*, l'ambiente dove si conservano i paramenti sacri e i libri per la liturgia. Nella Cappella Palatina, invece, questo spazio non sembra avere una simile funzione. La parete di fondo (**96**) ha subito diversi interventi tra il XVII e il XIX secolo: la statua in marmo di san Pietro si deve infatti allo scultore Giovanni Battista Ragusa, che la completò negli ultimi anni del Seicento, mentre l'altare venne rifatto nel 1817. Il mosaico centrale con sant'Anna e Maria è probabilmente dello stesso periodo ed è stato usato per tamponare la finestra che separava san Filippo (a sinistra) e san Sebastiano (a destra), che sono invece originali del XII secolo, per quanto molto restaurati. Nell'altare antico si conservavano reliquie dei due santi.

*The south transept (**97**) is located in the position normally occupied in Byzantine churches by the diaconicon, the area where the holy vestments and liturgical books are kept. It appears that the south transept of the Palatine Chapel never had this function. The back wall (**96**) was modified on various occasions between the seventeenth and nineteenth centuries. The marble statue of St Peter is the work of sculptor Giovanni Battista Ragusa, and dates from the end of the seventeenth century. The altar was replaced in 1817. The central mosaic of St Anne and St Mary probably also dates from the same period. This mosaic was done to cover the wall created when the window that once separated St Philip (on the left) from St Sebastian (on the right) was filled in. The figures of Philip and Sebastian are originals from the twelfth century, though they have been thoroughly restored. Relics of the two saints were preserved in the ancient altar.*

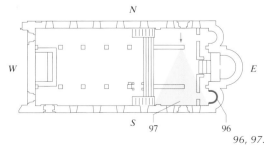

96, 97.

98.

Nella calotta dell'abside del transetto meridionale si trova il busto di san Paolo (**98**). Il santo ha lo stesso aspetto, fronte stempiata e barba nera a punta, che ha nelle altre occasioni in cui compare nei mosaici della Cappella.
Benché ci siano diverse tracce di restauri, il santo fa quindi certamente parte del progetto decorativo originario, anche perché la tecnica esecutiva della figura ricorda quella di altri mosaici siciliani contemporanei. San Paolo regge un libro chiuso, decorato con una croce di perle, in modo simile al Cristo Pantocratore della cupola (cfr. **122**), mentre il Pantocratore che si trova sopra di lui tiene aperto il suo libro.

*A bust of St Paul (**98**) decorates the semidome of the south transept's apse. The saint is depicted with the same features (high forehead and pointed black beard) he has elsewhere in the chapel's mosaics.*
*Though this mosaic shows various traces of restoration, we can be certain that the image is part of the original decorative scheme. This is confirmed by the fact that the figure's laying technique is identical to that of other contemporary Sicilian mosaics. St Paul is holding a closed book decorated with a cross of pearls, similar to that of the Christ Pantocrator in the dome (see **137**). The Christ Pantocrator vertically above holds an open book.*

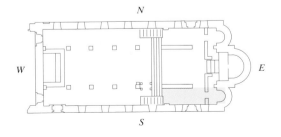

99.

È inconsueto trovare un *Cristo Pantocratore* che regge un libro aperto sulla stessa citazione in greco del Vangelo di Giovanni ("Io sono la luce del mondo; chi mi segue non camminerà nelle tenebre, ma avrà la luce della vita") sulla parete di fondo del transetto (**99**), al di sopra dell'abside, dato che lo stesso soggetto si trova altre tre volte nella Cappella (cfr. **26**, **122**, **137**). Qui, la sua presenza è in relazione con la scena sottostante della *Natività* (cfr. **100**): una manifestazione divina di Cristo che si affianca alla sua incarnazione terrena.

The location of this Christ Pantocrator *(**99**) over the apse on the back wall of the south transept is somewhat surprising, since a similar image occurs another three times elsewhere the chapel (see **26, 122, 137**). His book is held open at the passage from the Greek Gospel of St John that reads "I am the light of the world: he who follows me shall not walk in darkness, but shall have the light of life". The location is best explained in relation to the* Nativity *scene directly below (see **100**), as a link between the divine Christ and his earthly incarnation.*

98   *E*   99

STELLA·PARIT·SOLEM·ROSA·FLOREM·FORMA·DECOREM·

HXV   ΓΕΝΝΙCIC

100.

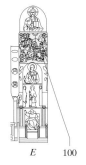

E   100

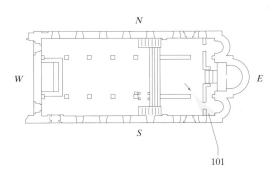

N

W   E

S

101

96

La scena della *Natività* (**100**) è disposta a cavallo tra le pareti d'angolo del transetto, con la scena dell'*Annuncio ai pastori* (**101**) che si trova sulla stessa parete della *Vita di Cristo* (cfr. **102**). In un singolo pannello si susseguono diverse scene: in alto a sinistra si vedono i Re Magi in viaggio, guidati da angeli; al centro, i Magi offrono doni a Gesù Bambino, accudito da Maria mentre Giuseppe siede in disparte; in basso c'è la scena del bagno di Gesù, le cui protagoniste sono forse Salomè e Zelomi, due levatrici citate in un vangelo apocrifo. Le scene sono separate tra loro da colline ondulate ed è presente un'emanazione divina sotto forma di un raggio che si diparte dal cielo (proprio al di sotto del Cristo Pantocrator) e raggiunge la testa di Gesù, simile al raggio che si vede anche nelle scene della conversione e del battesimo di san Paolo (cfr. **81a**). In alto a destra, un angelo annuncia la nascita di Cristo ai pastori che si trovano sulla parete adiacente. La presenza di questa scena richiama la data dell'incoronazione di Ruggero II, svoltasi nella Cappella appunto il giorno di Natale del 1130.

The story of the Nativity *(**100**) is arranged on the back and south walls of the transept, with the scene of the* Annunciation to the shepherds *(**101**) terminating on the south wall along with the* Life of Christ *(see **102**). A number of episodes appear on the back wall: at the top left we see the three wise kings being guided by angels; in the centre, the wise kings offer their gifts to the Baby Jesus, nursed by Mary, while Joseph sits to one side; the bottom shows the scene of the Baby Jesus being bathed, maybe by Salome and Zelomi, the two midwives according to an apocryphal story. The individual episodes are separated by rolling hills. A divine emanation, represented by a ray, descends from heaven (directly under the Christ Pantocrator) on to the head of the Baby Jesus. A similar emanation occurs in the scene of the conversion and baptism of St Paul (see **81a**). At the top right of the back wall, an angel announces the birth of Christ to the shepherds on the adjacent wall. The presence of this scene reminds us of the date of Roger II's coronation in the Palatine Chapel, precisely on Christmas day 1130.*

101

102.

La parete sud è occupato dalle scene della *Vita di Cristo* (**102**). Come nel caso delle vite di san Pietro e san Paolo, la peculiarità del ciclo è l'assenza della Passione e della morte di Cristo. Il ciclo si conclude infatti con l'ingresso trionfale di Cristo a Gerusalemme, al centro in basso.

*The south wall of the transept (**102**) is occupied by scenes from the Life of Christ. Just like those of the lives of Peter and Paul, this narrative cycle is unusual for the absence of a scene of the Passion and death of Christ. The cycle finishes at the bottom centre with Christ's triumphal entry into Jerusalem.*

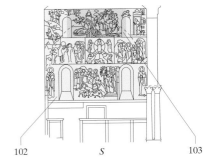

102　　　　　S　　　　　103

98

103.

Dopo le scene della *Natività*, la sequenza della vita di Cristo prosegue sulla parete sud del transetto, nella fascia superiore. Senza soluzione di continuità, sono rappresentati due momenti diversi: a sinistra (**103**), un angelo avvisa Giuseppe dell'intenzione di Erode di sterminare tutti i nuovi nati, mentre a destra la famiglia, seguita dal figlio di Giuseppe, personaggio citato in un vangelo apocrifo, è in viaggio verso l'Egitto. Come indicano i pesci che si vedono in basso, il viaggio sembra svolgersi lungo il mare. Al di sopra della finestra, un angelo indica la via e fa da collegamento con la terza parte della scena. L'arrivo in Egitto (**104**) è simboleggiato da una donna discinta che si affaccia alle porte di una città fortificata, estesa anche sulla parete che separa il transetto dalla navata.

*Following on from the scenes of the Nativity, later episodes from the life of Christ are illustrated in the top band of the transept's south wall. Two separate episodes appear there with no clear division between them. To the left (**103**), an angel warns Joseph of Herod's intention to massacre all infants. To the right, the family travel to Egypt, with the son of Joseph (a figure mentioned in apocryphal stories) bringing up the rear. The fish at the bottom of the scene seem to indicate that the journey followed the coast. An angel above the window points the way and provides a logical connection to the third scene in this sequence. The arrival in Egypt (**104**) is symbolised by a scantily dressed woman looking out from the gates of the fortified town that extends over the wall separating the transept from the aisle.*

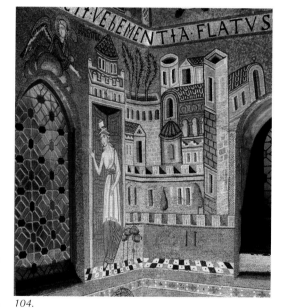

104.

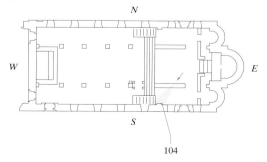

99

105.

Dall'infanzia di Gesù si passa direttamente al primo atto della sua vita pubblica, il battesimo (**105**). Il Battista indossa una veste di pelle d'agnello e impartisce il sacramento a Gesù, immerso fino alla testa nelle acque del Giordano, imponendogli una mano sul capo. Al di sopra della testa di Cristo si trova una colomba da cui discende un raggio luminoso. Completano la scena due angeli che portano veli rituali e i due spiritelli immersi nell'acqua, raffigurazione delle sorgenti del fiume. Al di sotto della mano destra di Cristo si intravede una colonnina sormontata da una croce, riferimento a quella che in Terra Santa indicava, secondo la tradizione, il punto esatto del battesimo di Gesù.

*From the infancy of Jesus we move directly to the beginning of his public life and his baptism (**105**). John the Baptist is shown wearing a lamb-skin tunic. He is giving the sacrament of baptism to Jesus by placing a hand on his head and immersing him in the waters of the Jordan. Another luminous ray representing a divine emanation descends on to the head of Christ from a dove flying overhead. The scene is*

completed by two angels bearing ritual mantles and two sprites in the water representing the sources of the river. Under the right of hand of Christ we can just make out a column with a cross on top. This is a reference to the cross that, according to tradition, marked the exact spot of Christ's baptism in the Holy Land.

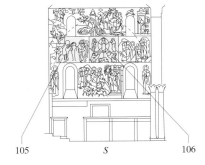

105   S   106

100

106.

Gesù conduce gli apostoli Pietro, Giacomo e Giovanni sul monte Tabor, in Galilea, e davanti ai loro occhi cambia aspetto: il volto e le vesti emanano una luce bianca e splendente (**106**). Poi appaiono i profeti Mosè ed Elia che conversano con lui e, secondo il Vangelo di Luca, ne annunciano la morte a Gerusalemme. Nel mosaico, Cristo è inscritto in una mandorla e da lui partono cinque raggi luminosi che toccano gli altri personaggi (i due profeti in alto e i tre apostoli ai suoi piedi).

*Jesus leads the apostles Peter, James and John on to Mount Tabor in Galilee, and changes appearance before their eyes: his face and garments emit a splendid white light (**106**). Then, according to the Gospel of Luke, the prophets Moses and Elijah appear and converse with him, pre-announcing his death in Jerusalem. The mosaic depicts Christ enclosed in an almond shape with five rays emanating from him and touching the five other figures present (the two prophets at the top and the three apostles at his feet).*

Ḣ ΛΝΑСΤΑСΙС ΛΑΖΑΡΟΥ

107.

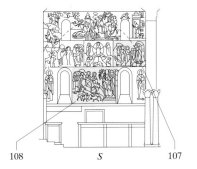

108   S   107

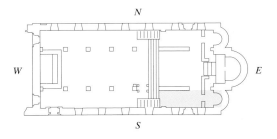

N

W   E

S

Il miracolo della resurrezione di Lazzaro (**107**) è compresso in uno spazio ridotto ma affollato di figure. Lazzaro, ancora avvolto nelle bende, fuoriesce dal sepolcro mentre un uomo di fianco a lui si copre il naso per l'odore (secondo il Vangelo di Giovanni, unico a riportare l'episodio, Lazzaro era morto da ormai quattro giorni). Le sorelle di Lazzaro, Marta e Maria, si prostrano incredule ai piedi di Gesù, mentre a sinistra i tre discepoli sembrano discutere del prodigio a cui hanno assistito.

The miracle of the resurrection of Lazarus (107) is illustrated in a confined space packed with figures. Lazarus, still wrapped in bandages, emerges from his sarcophagus while the man alongside him covers his nose for the smell. (According to the Gospel of St John, the only one to relate the story, Lazarus had been dead for four days.) Lazarus' sisters, Martha and Mary, prostrate themselves in awe at the feet of Jesus, while the three disciples behind Christ seem to be discussing the miracle they have just witnessed.

102

ΗΒΑΗΦῶΡΟC

108.

L'ultima scena della vita terrena di Cristo a essere raffigurata nella Cappella è il suo ingresso a Gerusalemme (**108**), la "processione delle palme" identificata dall'iscrizione in greco. Gesù, affiancato da Pietro, avanza su un'asina bianca, sulla quale i discepoli hanno posto dei mantelli. In basso, quattro bambini gettano rami e le loro stesse vesti al passaggio del corteo. Alle porte della città Cristo è atteso da tre uomini barbuti, probabilmente sacerdoti, e da uomini e donne che dovrebbero raffigurare il popolo di Gerusalemme.
Ai lati della scena, oltre le due finestre (cfr. **102**), si trovano san Dionigi a sinistra e san Martino a destra.

*The last scene from the earthly life of Christ to appear in the Palatine Chapel is his entry into Jerusalem (**108**), or the "palm procession" as identified by an inscription in Greek. Jesus, with Peter alongside, rides on a white ass, which the disciples have draped with mantles. At the bottom, four children throw palm fronds and their own clothes in front of the procession. Three bearded men (probably priests) are shown waiting for Jesus at the gates to the town, along with a number of men and women representing the people of Jerusalem. At the far ends of the scene, beyond the two windows (see **102**), we find St Dionysius (left) and St Martin (right).*

109.

110.

Sull'arco verso il transetto sono rappresentati cinque profeti; tre (Samuele, Giosuè e Malachia) come busti nei tondi e due a figura intera. Questi sono Gioele a sinistra (**109**) e Isaia a destra (**110**), che sono da collegare alla *Pentecoste* (cfr. **112**) sulla volta il primo e alla nascita di Cristo (cfr. **100**) il secondo. La profezia scritta sul rotolo di Gioele recita infatti: "Dopo questo avverrà che io spanderò il mio Spirito sopra ogni carne", passo citato anche negli *Atti degli Apostoli* proprio in relazione alla discesa dello Spirito Santo sugli apostoli. Il rotolo di Isaia contiene invece il passo che annuncia la futura nascita di Cristo: "Ecco, la vergine concepirà e darà alla luce un figlio e gli porrà nome Emmanuele".
Ciascun santo indica con la mano libera proprio la scena alla quale il suo testo fa riferimento.

*Five prophets are depicted on the wall of the arch facing the transept. Three (Samuel, Joshua and Malachi) appear as busts inside medallions while two appear as full height figures. These are Joel (**109**) on the left, who prophesied the Pentecost depicted on the vault (see **112**), and Isaiah (**110**) on the right, who prophesied the birth of Christ (see **100**). The prophecy on Joel's scroll reads: "After this it shall come to pass that I will pour out My Spirit upon all flesh". This passage also occurs in the* Acts of the Apostles *with reference to the descent of the Holy Spirit on the apostles. Isaiah's scroll quotes the passage announcing the future birth of Christ: "Behold, a virgin shall conceive, and bear a son, and shall call his name Immanuel".*
Both prophets point to the scenes to which their prophecies refer.

104

111.

I due personaggi raffigurati ai lati della finestra sulla fascia superiore della parete ovest del transetto (**111**) sono probabilmente da collegare alla scena della *Pentecoste* sulla volta (cfr. **112**): il loro abbigliamento e i tratti del volto, che non hanno paragoni altrove nella Cappella, li qualificherebbe infatti come stranieri. Di qui, l'ipotesi che rappresentino appunto gli stranieri che, il giorno della Pentecoste, ascoltano gli apostoli parlare in lingue straniere.

The two figures *(111)* to either side of the window in the upper band of the transept's west wall are probably associated with the Pentecost on the vault (see *112*). Their clothing and their facial features are unlike those of any other figure in the chapel. This seems to identify them as foreigners. One hypothesis as to their significance is that they represent the foreigners who listened to the apostles speaking in foreign tongues on the day of the Pentecost.

A pag. 105 / On page 105

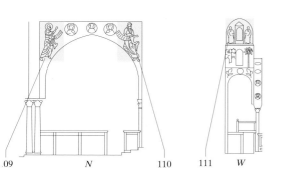

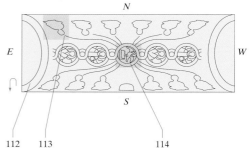

09   *N*   110   111   *W*   112   113   114

112.

La *Pentecoste* (**112**), così come l'*Ascensione* nel transetto nord (cfr. **76**), è un elemento classico della decorazione delle volte delle chiese bizantine. Gli apostoli riuniti nel giorno della Pentecoste ebraica, cinquanta giorni dopo la Pasqua, quando Cristo risorto ha già abbandonato il mondo terreno, vengono infusi dallo Spirito Santo, raffigurato dalla colomba (**114**), e predicano la parola di Dio parlando lingue straniere. Nella scena sono presenti i dodici apostoli (san Paolo (**115**) prende il posto di Giuda, benché l'evento abbia avuto luogo ben prima della sua conversione), disposti su due file. La necessità di collocare i corpi e le teste nella parte verticale della volta ha costretto il mosaicista a comprimere leggermente le figure e ingrossare le teste. Ogni apostolo è raggiunto da un raggio luminoso rosso che parte dallo Spirito Santo al centro della volta ed è guidato da una colomba. Nella fascia centrale della volta si trovano, all'interno di tondi, i quattro arcangeli Michele, Gabriele, Raffaele e Uriel, che tornano poi anche nel tamburo della cupola (cfr. **133-136**).L'iscrizione che corre attorno alla volta associa la stella di Betlemme alla nascita del sole e unisce, per la sua disposizone, alla *Natività* la scena della *Pentecoste*.

Like the Ascension *in the north transept (see* **76***), the* Pentecost *(**112***) is a classical element in Byzantine church decoration. The apostles who have come together on the Jewish day of the Pentecost, fifty days after Easter, when Christ Resurrected has already abandoned his earthly existence, are infused with the Holy Spirit represented by the dove (**114**), and preach the Word of God in foreign tongues. The scene depicts twelve apostles arranged in two rows, with St Paul (**113**) in the place of Judas even though the event took place well before his conversion. The need to position the figures on the vertical walls of the vault has forced the mosaicist to compress the bodies slightly while enlarging the heads. Each apostle is reached by a ray of red light emanating from the Holy Spirit at the centre of the vault and guided by a dove. The central band at the top of the vault is decorated with four medallions containing busts of the four archangels Michael, Gabriel, Raphael and Uriel. These figures also occur on the tambour of the dome (see **133-136**).The inscription that runs around the vault associates the star of Bethlehem with the birth of the sun. Its arrangement also helps link the* Pentecost *to the* Nativity.

106

ΠΕΤRΟΣ   ΝΟΝΝΝ   ΕΥΟΩΜΛΙΣ

ΟΛΒΟ   ΟΧ   ΟΑΡ
ΜΙΝΑ   ΓΑΒRΙΗΛ   ΗΛ

ΘΘΕΘ   ΛΟΓΟΣ   ΘΩΜΑΣ   ΦΗΛΙΠΠΟ

IS ICOBVIT AFFATVS SANCTI VEHEMEN

ΟΣ   ΠΑΥΛ

113.

114.

107

Il presbiterio
The presbytery

Il presbiterio (**116**) si presenta come uno spazio quadrato, separato dalla navata centrale, dai transetti e dall'abside per mezzo di archi (**115**), su due dei quali si trovano raffigurate L'*Annunciazione* (cfr. **117**) e la *Presentazione di Gesù al Tempio* (cfr. **118**).
Al di sopra del presbiterio si innalza la cupola, sorretta da un tamburo decorato con le immagini di evangelisti e profeti. Al centro della cupola si trova invece il Cristo Pantocratore (cfr. **137**) circondato da angeli e arcangeli (cfr. **133-136**). Un altro Cristo Pantocratore è raffigurato nel catino absidale, al di sopra di un mosaico del XVII secolo con la Madonna tra la Maddalena e san Giovanni Battista.

*The presbytery (**116**) is a square space separated from the nave, the transepts and the main apse by arches (**115**). Two of these arches are decorated respectively with the scenes of the* Annunciation *(see **117**) and the* Presentation of Jesus in the Temple *(see **118**).*
*The presbytery is capped by a dome at the top of a tambour decorated with images of the evangelists and prophets. The centre of the dome features Christ Pantocrator (see **137**) surrounded by angels and archangels (see **133-136**).*
Another image of Christ Pantocrator appears in the semidome of the apse, above a seventeenth century mosaic of the Madonna between Mary Magdalene and John the Baptist.

115.

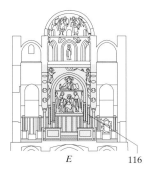

E   116

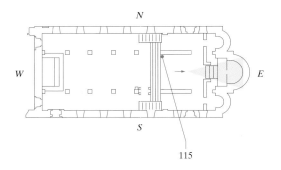

115

117.

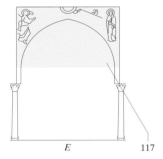

E   117

L'*Annunciazione* (**117**) occupa l'arco che si apre verso l'abside. La conformazione dello spazio ha portato l'autore a disporre l'angelo a sinistra e Maria a destra, separati al centro dall'arco di cielo dal quale fuoriesce la mano di Dio che proietta verso la donna il raggio di luce che, insieme alla colomba, rappresenta nella Cappella l'intervento divino. Sia Maria sia l'angelo sono stati restaurati nel XVIII secolo ed entrambi si estendono sulla parete a loro adiacente. La dimora di Maria è raffigurata alle sue spalle, sulla parete sud, come un edificio sontuoso e articolato. I due personaggi sono uniti dall'iscrizione latina che dal ginocchio dell'angelo arriva al ginocchio di Maria e recita "La Luce, la Vita e la Via riempirono te, Vergine Maria, che beata credi nelle parole [dell'angelo] e non rendi il tuo cuore superbo".

The Annunciation (*117*) occupies the top of the arch leading on to the apse. The shape of the space available to him has forced the artist to arrange the angel on the far left and Mary on the far right. They are separated by a heavenly arc at the centre, from which extends the hand of God, projecting a ray of light and a dove towards Mary. The devices of the emanation and the dove recur throughout the Palatine Chapel as representations of divine intervention. Mary and the angel were restored in the eighteenth century. Both figures extend on to the adjacent walls. The house of Mary is shown on the south wall behind her as a large, sumptuous edifice. The two figures are joined by a Latin inscription that reads "The Light, the Life and the Way have filled thee, oh Virgin Mary; blessed art thou who trust the word [of the angel] and do not take pride into thy heart".

118.

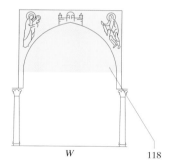

W   118

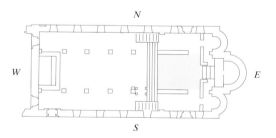

N

W   E

S

La scena della *Presentazione di Gesù al Tempio* (**118**) si trova sull'arco che dà verso la navata centrale. Sulla sinistra dell'arco si trovano la Madonna con Gesù, mentre alla destra è raffigurato Simeone, l'anziano sacerdote del Tempio che riconosce la natura divina di Gesù e vede in lui il compimento della profezia di Isaia (cfr. **110**). Altri due personaggi che appartengono alla scena si trovano sulle pareti adiacenti: san Giuseppe con la gabbia con gli uccelli per il sacrificio a sinistra, sulla parete verso la navata sud, e la profetessa Anna sulla parete verso la navata nord. Il tempio è simboleggiato dall'edificio che si trova al centro dell'arco.

The scene of the Presentation of Jesus in the Temple (*118*) lies over the arch towards the nave. The Madonna with Child stands on the left of the arch, while the figure on the right is Simeon, the elderly temple priest who recognised the divine nature of Jesus and saw in him the fulfilment of the prophecy of Isaiah (see *110*). The other two figures belonging to the scene appear on the adjacent walls. To the left, on the wall towards the south aisle, St Joseph stands holding a cage containing two doves for sacrifice; the prophetess Anna stands on the opposite wall, towards the north aisle. The building that appears at the apex of the arch symbolises the temple.

L'abside centrale (**121**) ospita mosaici tra i più restaurati nella Cappella Palatina. Sulla parete di fondo si apriva, come nelle absidi laterali, una finestra, poi chiusa e oggi sostituita da un mosaico del XVII secolo che raffigura la Madonna, affiancata verso nord da Maria Maddalena e san Pietro e verso sud da san Giovanni Battista e san Giacomo Maggiore. Tutte queste figure, probabilmente originali del XII secolo, presentano comunque segni evidenti di restauro. L'iscrizione sottostante, invece, nomina gli arcangeli Michele (**119**) e Gabriele (**120**), raffigurati nell'arco interno dell'abside ai due lati dell'*Etimasia* (cfr. **123**). Gli altri due personaggi che si trovano sotto agli arcangeli sono san Gregorio Magno e san Silvestro, entrambi papi.

*The mosaics of the central apse (**121**) are among the most restored in the Palatine Chapel. As with the aisle apses, there used to be a window in the back wall of the nave apse too. This was bricked up in the seventeenth century and replaced with a mosaic depicting the Madonna, flanked by Mary Magdalene and St Peter on the left and by St John the Baptist and St James The Greater on the right. The figures to either side of the Madonna are probably twelfth century originals, though they all show clear signs of later restoration.*
*The lower of the two inscriptions above the apse names the archangels Michael (**119**) and Gabriel (**120**). These appear on the intrados of the arch leading into the apse, one to either side of the Etimasia (see **123**). The two figures beneath the archangels are St Gregory the Great and St Sylvester, both popes.*

119.

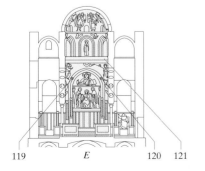

120.

122.

Il grande *Cristo Pantocratore* (**122**) nel catino absidale, al di sotto del quale si trovava una finestra doveva apparire come una fonte luminosa, coerentemente con un programma decorativo che pone l'accento sull'importanza della luce, ribadita più volte nelle iscrizioni, non ultima quella in greco e latino riportata sul libro che regge nella mano sinistra ("Io sono la luce del mondo..."). Al di sopra del Cristo si trova un medaglione con i simboli della Passione, l'*Etimasia* (**123**): la croce, la corona di spine, la lancia e la spugna imbevuta di aceto, mentre su un cuscino ai piedi della

Croce si trova la colomba dello Spirito Santo. Si tratta dell'unico accenno presente nella Cappella alla morte di Cristo, ricordata da una delle due iscrizioni latine sulla cornice dell'arco esterno che precede l'abside: "La lancia, la spugna, la croce, i clavi e la corona ispirano timore e pianto intenso. Peccatore piangi quando vedrai queste cose e adora". Tuttavia, posti su un trono regale, gli strumenti della Passione diventano anche strumenti di rappresentazione regale, chiarendo così il loro collegamento con il Pantocratore.

114

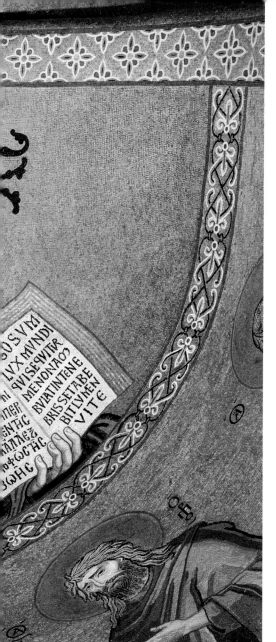

123.

The large Christ Pantocrator (*122*) in the apse's semidome was positioned over the original window to emphasis Christ's role as a source of light. Many of the chapel's decorations focus on divine light, and many of the inscriptions mention it specifically. The clearest reference of all is the inscription in Greek and Latin in the open book that this Christ holds in his left hand ("I am the Light of the world..."). The medallion above the head of Christ depicts the Etimasia (*123*) and contains the symbols of the Passion: the cross, the crown of thorns, the spear and the sponge soaked in vinegar. A dove representing the Holy Spirit stands on a cushion at the foot of the cross. This is the only reference to the death of Christ anywhere in the Palatine Chapel. It is clarified by the higher of the two Latin inscriptions over the arch that opens on to the apse: "The spear, the sponge, the cross, the nails and the crown inspire fear and intense grief. Cry and worship, oh sinner, when you see these things". Nevertheless, placed as they are on a royal throne, the instruments of Christ's Passion are also portrayed as instruments of royal power, and suggest that the king holds absolute power on Earth.

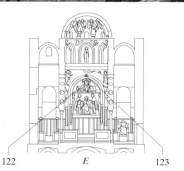

122   *E*   123

124.

I mosaici della cupola (**124**) sono considerati i migliori della Cappella dal punto di vista tecnico e artistico.

La struttura della cupola vera e propria poggia su un tamburo cilindrico nel quale si aprono quattro nicchie, ciascuna contenente un evangelista, alternate a quattro personaggi biblici (Davide, san Giovanni Battista, Salomone, e il profeta Zaccaria) rappresentati a figura intera. Al di sopra di questi, intervallati, si trovano i busti di otto profeti, ciascuno con un rotolo in greco che riporta un brano delle loro profezie: Ezechiele, Geremia, Giona, Daniele, Mosè, Elia, Eliseo e Isaia (cfr. **125-132**).

La cupola vera e propria è decorata da quattro arcangeli disposti in cerchio (Michele, Gabriele, Uriele e Raffaele) (cfr. **133-136**) e da quattro angeli non meglio identificati, che fanno da corona a un Cristo Pantocratore (cfr. **137**) iscritto in un medaglione.

*The mosaics of the dome (**124**) are considered the best in the entire chapel from a technical and artistic point of view. Structurally, the dome itself rests on a cylindrical tambour. Four niches have been opened into the tambour and all contain the image of an evangelist. The niches are separated by sections of tambour wall decorated with another four full height biblical figures (David, St John the Baptist, Solomon, and the prophet Zechariah). In the spaces above and in between the niches and wall decorations appear the busts of eight prophets, each holding a scroll quoting their respective prophecies, in Greek. The eight are Ezekiel, Jeremiah, Jonah, Daniel, Moses, Elijah, Eliseus and Isaiah (see **125-132**). The dome itself is decorated with the four archangels (Michael, Gabriel, Uriel and Raphael) (see **133-136**) arranged in a circle along with four unidentified angels to form a crown around the medallion containing Christ Pantocrator (see **137**).*

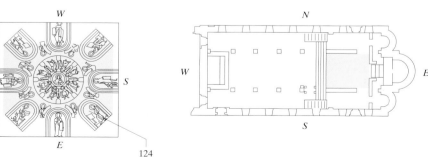

124

Re Davide (**125**) è stato completamente restaurato tra il XVIII e il XIX secolo. Raffigurato con la corona simbolo della sua regalità, regge un cartiglio con un salmo in greco, come gli altri due profeti che lo affiancano, Ezechiele a destra e Isaia a sinistra. Le citazioni nei loro cartigli facevano parte della liturgia bizantina della viglia del Natale, dando così coerenza tematica a questo gruppo di profeti, che annunciano la venuta del Messia; lo stesso Isaia è presente anche accanto alla scena della *Natività* nel transetto sud (**100**, **110**).
Le quattro nicchie che si aprono nel tamburo della cupola ospitano i ritratti degli evangelisti: San Giovanni (**126**) è seduto davanti a un libro chiuso, che ha appena terminato di scrivere o che deve ancora iniziare. L'iscrizione greca e latina della cornice dell'arco, riscritta a fine Settecento, recita "In principio era il Verbo e il Verbo era presso Dio e Dio era il Verbo", incipit del Vangelo di Giovanni.

*King David (**125**) was completely restored between the eighteenth and nineteenth centuries. Shown wearing a crown symbolising his royalty, he is holding a parchment inscribed with a Greek psalm, as are the other two prophets to either side of him, Ezekiel to his right and Isaiah to his left. The passages quoted on these parchments formed part of the Byzantine Christmas Eve liturgy, giving thematic coherence to the group, who all pre-announced the coming of the Messiah. Isaiah also appears prophesying the Nativity (see **100**, **110**) in the south transept. The four niches around the tambour house portraits of the four evangelists: St John (**126**) is sitting in front of a closed book that he has either just finished or is about to start writing. The Greek and Latin inscription around the arc was redone in the late eighteenth century. It quotes the first verse of the Gospel of St John and reads "In the beginning was the Word, and the Word was with God, and the Word was God".*

125.

126.

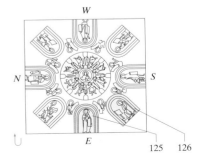

San Giovanni Battista (**127**), scheletrico e vestito di una pelliccia, regge un cartiglio che recita un passo in greco del Vangelo di Giovanni, "Ecco l'agnello di Dio che toglie i peccati dal mondo". L'albero con la scure accanto a lui è in relazione con l'iscrizione (dai Vangeli di Luca e Matteo) che ricorda che gli alberi che non danno frutti andranno tagliati e gettati nel fuoco, richiamo alla punizione del Giudizio Universale da cui si può scampare solo attraverso Cristo.
Nella sua nicchia, San Luca (**128**) ha appena vergato la prima parola del suo Vangelo sul codice che tiene in bilico sulle gambe. L'iscrizione greca sull'arco è anche in questo caso a compilare un racconto dei fatti ai quali si presta tra noi piena fede", mentre quella latina recita, dallo stesso Vangelo, che è l'unico a riportare il racconto della nascita di Cristo, "C'era al tempo di Erode, re della Giudea, un sacerdote di nome Zaccaria".

*An almost skeletal John the Baptist (**127**), clothed only in an animal skin, holds a parchment quoting in Greek the passage from the Gospel of St John, "Behold the Lamb of God, which taketh away the sin of the world". The tree with an axe in it alongside him refers to the inscription above, quoting from the Gospels of Luke and Mathew, and warning that those trees that do not bear fruit will be cut down and thrown into the fires, a salutary reminder of the punishments due at the Last Judgement, from which man can only escape through Christ.*
*In his own niche, St Luke (**128**) has just completed the first word of his Gospel in a book that he holds balanced on his legs. The Greek inscription over the arc again quotes the first verse of the saint's Gospel, "Forasmuch as many have taken in hand to set forth in order a declaration of those things which are most surely believed among us". The Latin inscription quotes a passage, also from the Gospel of Luke (the only gospel to give the story of the birth of Christ) "There was in the time of Herod, the king of Judea, a priest of the name of Zechariah".*

127.

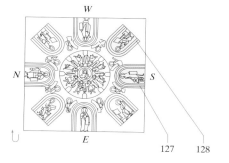

127   128

128.

Salomone (**129**), collocato tra i busti dei profeti Daniele (a sinistra) e Mosè (a destra), indossa una ricca veste con una corona decorata ai lati da file di perle. Il testo che regge nel cartiglio, tratto dai Salmi, recita "Anche l'amico con cui mi confidavo, anche lui, che mangiava il mio pane, alza contro di me il suo calcagno" e profetizza forse il tradimento di Giuda e la Passione di Cristo, altrimenti assente dalla decorazione della Cappella.

San Marco (**130**) ha davanti a sè un leggio con l'occorrente per scrivere e impugna uno stilo. Tiene a sé un libro chiuso e sembra cercare lo sguardo dello spettatore. La doppia iscrizione sull'arco recita, in greco e latino, l'inizio del suo Vangelo, " Inizio del vangelo di Gesù Cristo, figlio di Dio. Come è scritto nel profeta Isaia".

*Solomon (**129**) stands between the busts of the prophets Daniel (left) and Moses (right), and wears a rich tunic and a crown decorated at the sides with strings of pearls. The text on his parchment is taken from the Psalms and reads "Yea, mine own familiar friend, in whom I trusted, which did eat of my bread, hath lifted up [his] heel against me". The passage probably prophecies Judas' betrayal and the subsequent Passion of Christ, which would otherwise be completely absent from the chapel.*

*St Mark (**130**) has a desk and materials before him, and is holding a writing implement in one hand. He clutches a closed book and seems to be trying to catch the attention of the onlooker. The two inscriptions, one in Latin and the other in Greek, both quote the first verse of his Gospel, "The beginning of the gospel of Jesus Christ, the Son of God. As it is written in the prophet Isaiah".*

129.

130.

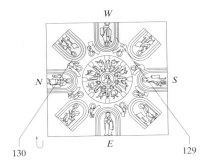

120

Il profeta Zaccaria (**131**) è raffigurato con la veste e gli accessori di un sacerdote, come l'incensiere e il copricapo che riproduce il *teffilin*, la scatola contenente passi della *Torah* portata ancora oggi sulla fronte oltre che sul braccio dagli ebrei durante la preghiera del mattino. La sua raffigurazione come sacerdote lo identifica con un suo omonimo più tardi, citato nel Vangelo di Luca come padre di Giovanni Battista. L'evangelista Matteo (**132**), come Luca, è raffigurato nell'atto di scrivere il suo Vangelo, di cui si legge la prima parola in greco sul codice appoggiato al leggio. La doppia iscrizione lungo l'arco, rifatta sul modello di quella originale nel Settecento, è l'incipit del libro: "Libro della generazione di Gesù Cristo figlio di David, figlio di Abramo. Abramo generò Isacco".

*The prophet Zechariah (**131**) is shown wearing the garments and accessories of a priest. He is holding an incense burner and on his head wears a teffilin, the box containing passages from the Torah that is still worn by Jews on the forehead and arm during morning prayers. His depiction as a priest confuses him with a later figure of the same name, the Zechariah identified in the Gospel of Luke as the father of John the Baptist. Like his fellow evangelist Luke, Matthew (**132**) is shown in the act of writing his Gospel. The first word in Greek is legible on the book on the desk in front of him. The double inscription around the arc was redone in the eighteenth century, following the lines of the original, and reproduces the beginning of the Gospel of Matthew: "The book of the generation of Jesus Christ, the son of David, the son of Abraham. Abraham begat Isaac".*

131.

132.

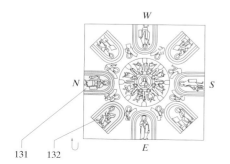

133.

Dei quattro arcangeli raffigurati nella cupola, Uriele (**133**) è l'unico il cui nome non compaia nelle Scritture: veniva infatti citato nel *Libro di Enoch*, escluso però dal canone giudaico e, di conseguenza, da quello cristiano. Secondo la mistica ebraica sarebbe lui, tra le altre cose, l'angelo contro cui lotta Giacobbe. La sua fortuna nel cristianesimo, come quarto arcangelo, si deve anche a Gregorio Magno che lo cita nelle sue opere. Nel 745 papa Zaccaria limitò il culto degli angeli ai tre citati nelle Scritture, per arginare pratiche considerate ai limiti dell'idolatria, e ordinò la rimozione delle immagini di Uriele dalle chiese. La sua presenza nella Cappella Palatina (qui e nella volta del transetto sud) deriva dalla tradizione bizantina, che invece lo annovera come quarto arcangelo. Uriele indossa un *loros*, la tipica veste degli imperatori bizantini, riccamente decorata, e ha un'elaborata acconciatura. Benché sia solitamente raffigurato con una spada fiammeggiante in mano, qui regge uno stendardo nella destra e una sfera sormontata da una croce nella sinistra.

Gli altri tre arcangeli della cupola sono Gabriele, Michele e Raffaele (**134-136**). Mentre l'abito di Michele (**135**) è di foggia imperiale come quello di Uriele, Gabriele (**134**) e Raffaele (**136**) indossano vesti da generali. La varietà e la ricchezza del loro abbigliamento riflettono la grandezza della corte terrena. Assieme agli arcangeli si trovano nella stessa fascia altri quattro angeli non meglio identificati, vestiti di tuniche e che indicano il Cristo al centro della cupola (cfr. **137**).

W

N

S

E

134

133

134.

Of the four archangels depicted in the dome, Uriel (**133**) is the only one whose name does not appear in the Scriptures. His name was recorded in the Book of Enoch, *but because this book was not included in the Jewish canon, Uriel was also omitted from the Christian canon. According to Hebrew mysticism, Uriel was, among other things, the angel with whom Jacob wrestled. Uriel owes his place as fourth archangel in Christianity to Gregory the Great, who referred to him in his writings. In 745, Pope Zacharias restricted the cult of the archangels to the three mentioned in the Scriptures in an attempt to eliminate practices considered on the limits of idolatry, and ordered the removal of images of Uriel from all churches. Uriel's presence here and on the vault of the Palatine Chapel's south transept is due to Byzantine tradition, which included him as the fourth archangel. Uriel appears in the dome wearing a* loros, *a richly decorated form of dress typical of Byzantine emperors. He also has a somewhat imperial hairstyle. While Uriel generally appears clutching a flaming sword, in this instance he is holding a standard in his right hand and a sphere with a cross on top in his left. The other three archangels in the dome are Gabriel, Michael and Raphael (**134-136**). Gabriel (**134**) and Raphael (**136**) are dressed as generals, while Michael (**135**) wears an imperial* loros *like that of Uriel. The variety and richness of the dress worn by all the archangels reflects the wealth and power of Roger's court on Earth. In the same circle as the archangels we find another four unnamed angels, wearing plainer tunics and pointing with one hand to the Christ in the centre of the dome (see* **137**).

135.

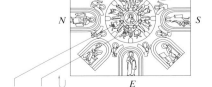

136   135

136.

137.

Cristo (**137**) è il fulcro e il perno della grande ruota di profeti, evangelisti e angeli della cupola. L'iscrizione in greco che lo circonda ("Così parla il Signore: il cielo è il mio trono e la terra lo sgabello per i miei piedi") lo identifica esplicitamente come Pantocratore. Si tratta di un uso inconsueto di questo termine per indicare un busto di Cristo: solitamente accompagna il Messia a figura intera su un trono, come nella parete di fondo della Cappella. Ma in questo caso basta, simbolicamente, la sua presenza al centro di una cupola che riflette la struttura del regno celeste, culmine dell'intero progetto decorativo del presbiterio.Come vuole la tradizione bizantina, la metà destra del volto (per l'osservatore) è leggermente più grande di quella sinistra, ma la mancanza di una scriminatura centrale nei capelli identifica questa figura come tipica del periodo normanno.

*This figure of Christ (**137**) forms the pivot around which rotates the dome's great wheel of prophets, evangelists and angels. The Greek inscription that surrounds Christ ("Thus saith the Lord, The heaven is my throne, and the earth is my footstool") identifies him clearly as Christ Pantocrator. The use of this passage around a bust of Christ is unusual: it is far more commonly quoted in conjunction with a full height figure seated on a throne, as on the chapel's back wall. In this case, however, Christ's position at the centre of a dome depicting the entire structure of the Kingdom of Heaven is already an extremely powerful symbol, and a dramatic closure to the decorative scheme of the presbytery. As Byzantine tradition demands, the right half of the face (as viewed by an observer) is slightly larger than the left half, but the absence of a central hair parting identifies this particular image as typical of the Norman period.*

138.

I mosaici del pavimento dell'abside sono gli unici elementi figurativi della decorazione pavimentale della Cappella, che predilige invece motivi geometrici astratti. Il più grande (**138**) raffigura due leoni disposti attorno a un vaso da cui fuoriesce una pianta, in origine disposto in verticale come parte della balaustra che chiudeva il presbiterio. I due serpenti (**139**, **140**), simboli del male, realizzati con tessere rosse e verdi, sono collocati in modo tale che i sacerdoti li calpestassero quando si avvicinavano all'altare.

*The mosaics on the floor of the apse are the only figurative elements anywhere on the chapel floor, which is otherwise decorated exclusively by abstract geometric motifs. The largest mosaic (**138**) illustrates two lions standing either side of a potted plant, and was originally arranged vertically as part of the balustrade delimiting the presbytery. The two serpents (**139**, **140**) symbolising evil are made from red and green tesserae. They were positioned in such a way that the priests would inevitably trample on them as they approached the altar.*

139.   140.

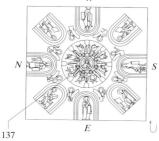

137

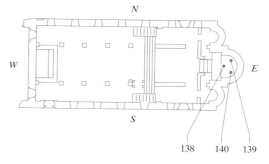

138   140   139

La chiesa inferiore
The lower church

Dalle scale dei transetti si accede alla chiesa inferiore (**141**), l'antica chiesa del palazzo, sulla quale è stata eretta la Cappella Palatina. Si tratta in realtà di tre ambienti diversi: una cappella a tre navate con tre absidi e volte a crociera, una stanza rettangolare e quattro corridoi che circondano la stanza. La cappella, nella quale si trovavano delle sepolture, appare oggi spoglia, ma in passato è stata decorata da pitture murarie, medievali e barocche. Sopravvivono solo una *Madonna col Bambino* bizantina del XII secolo e undici croci rosse su sfondo bianco, risalenti alla consacrazione della chiesa (**142**).

Nel 1782 venne collocato nella chiesa inferiore un reliquiario dell'Inquisizione, composto da 82 contenitori in vetro con reliquie di santi, e un crocifisso del XVI secolo, rimosso durante lavori di restauro nel 1934 che riaprirono anche la stanza sotterranea, il cui ingresso era stato murato. Di questa stanza non è chiara la funzione; si può solo immaginare che, per la sua posizione al di sotto della navata centrale, dovesse avere un rilievo particolare, forse come luogo di sepoltura.

*The steps from the transepts provide access to the lower church (**141**), the palace's ancient place of worship over which the Palatine Chapel was constructed. The lower church comprises three different areas: a chapel consisting of a central nave and two lateral aisles with three apses topped by cross vaults, a rectangular room and four corridors around it. The chapel once held a number of tombs. Today it appears bare, but at one time it was decorated with medieval and Baroque murals. The only works to survive are a Byzantine* Madonna with Child *from the twelfth century and eleven red crosses on a white background, dating from the consecration of the church (**142**).*

A reliquary from the period of the Inquisition, comprising 82 glass boxes containing relics of saints and a sixteenth century crucifix, was placed in the lower church in 1782. When this was removed during the restoration work of 1934, it revealed the entrance to the underground room, which had been bricked up. The original function of this room is unclear. We can only assume that, for its position under the nave, it may have served as a place of burial.

141.

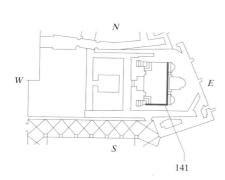

141

142.

Fotolito
Vaccari Zincografica

Finito di stampare presso
D'Auria Printing S.p.A.
Ascoli Piceno
nel mese di giugno 2011